JN093567

SEKI Takahiro
関 貴大 著

秀和システム

はじめに

近年、「環境」そして「エネルギー政策」の重要性は急速に増しています。気候変動の影響は、私たちの生活や自然環境に実害を及ぼし始めており、その影響を無視して経済活動を行うことはできません。従来、環境と経済発展はトレードオフの関係として捉えられてきました。経済発展を優先するため、大量のエネルギーを消費し、その上での環境破壊は容認されてきました。しかし、それは持続可能ではありませんでした。

2015年のパリ協定締結を受け、各国がカーボンニュートラルの実現を宣言しました。日本も例外でなく、2021年、当時の菅首相が2050年までにカーボンニュートラルを実現することを宣言しています。今は、経済発展最優先ではなく、環境と調和のとれた経済活動が求められているのです。

2015年、先進国·途上国が一体となり、持続可能な開発を推進するための目標であるSDGs（持続可能な開発目標）が定められました。そこには、当然、環境やエネルギーに関する目標も含まれており、これらは、世界での最重要課題であるということです。

世界の実情を把握する上で、「環境」と「エネルギー」は欠かすことができません。世界で最もホットなワードである「環境」と「エネルギー」、そして関連する「政策」について、本書を通じて理解を深めていきましょう。

関（せき） 貴大（たかひろ）

図解ポケット
環境とエネルギー政策がよくわかる本

CONTENTS

CHAPTER 3 エネルギーと地政学

地理と政治でエネルギー動向がわかる?

CHAPTER 4 化石エネルギー

ウクライナ侵攻でシェール増産なるか?

CHAPTER 5 原子力エネルギー

脱原発時代、安心安全な新技術に期待?

MEMO

環境とエネルギー政策の基本

国家の安定にエネルギー政策は必須か？

「環境」と「エネルギー」はどちらも一般的な言葉ですが、グローバル化が進む現代、これらの言葉の重要性はますます増しています。「環境」と「エネルギー」は、国を超えて密接に絡み合い、国家の政策として、あるいは世の中のトレンドとして、私たちの生活とは切っても切り離せないものとなっています。

2015年に国連で制定された「持続可能な開発目標(SDGs)」では、「環境」も「エネルギー」もそれぞれ個別の目標として定められており、目標達成のために各国が取り組んでいます。また、2011年の東日本大震災で発生した福島第一原発事故や、ロシアのウクライナ侵略戦争の影響で、日本のエネルギー需給や、私たちの生活にも大きな影響が表れています。

こうした、グローバルトレンド、および私たちの生活への影響を理解するためにも、「環境」と「エネルギー」、関連する「政策」について、改めて基本から学んでいきましょう！

エネルギーの基礎知識

「エネルギー」は日常でもよく耳にする言葉ですが、一口にエネルギーといっても様々な定義があります。

1 エネルギーの定義

日常生活では、運動や物理の授業、食事やダイエット、電力に関するニュースなど、様々な場面でエネルギーが登場します。エネルギーの定義は、以下のように大きく2つに分類できます。

- 物理学的定義（単位：ジュール）

  物を動かす、熱や光、音を出すなど、動きや形態の変化により「仕事」をする際に用いられるエネルギー

- 生理学的定義（単位：カロリー）

  食べ物を摂取する際、あるいは運動や代謝によって消費する際に用いられるエネルギー

本書では「物理学的定義」のエネルギーにフォーカスします。

2 物理学的エネルギーの分類

物理学的定義のエネルギーは、さらに2つに分類できます。

- 1次エネルギー

  自然界に存在するもの。**エネルギー資源**とも呼ばれます。

  例）石油、石炭、ウラン、太陽光、水力、風力など

●2次エネルギー

1次エネルギーを、人間が使いやすい形に変換したもの。

例）電気、ガス、ガソリン、灯油など

以降、「エネルギー」はすべて「物理学的エネルギー」を指します。

FIGURE 1 エネルギーの分類

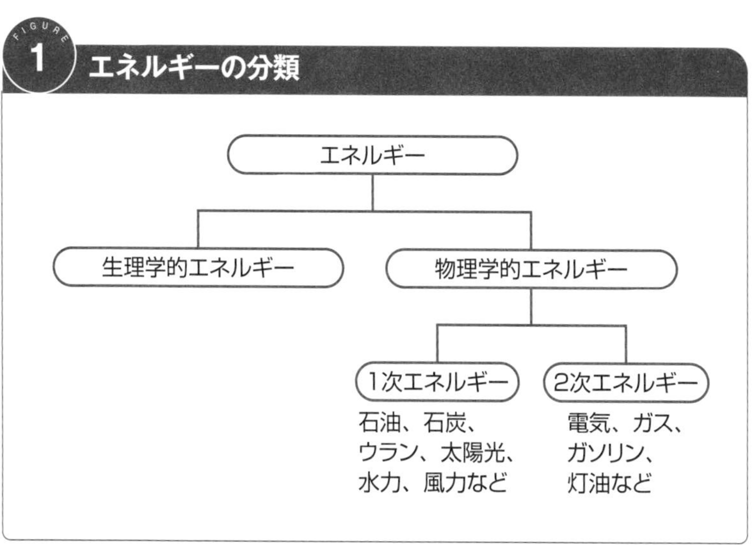

FIGURE 2 1次・2次エネルギーの具体例とその変換の様子

エネルギーの種類・分類

エネルギーは、その源となるエネルギー資源によっても分類できます。詳しく見ていきましょう。

1 資源観点でのエネルギーの種類・分類

エネルギーは、エネルギー資源に限りがあるかどうかで、以下ののように2種類に分けることができます。

● 枯渇性エネルギー（既存エネルギーとも呼ばれる）

石油・石炭・天然ガスなどの**化石燃料**由来エネルギー

ウランなどの放射性鉱物由来のエネルギー

● 再生可能エネルギー（代替エネルギー、新エネルギーとも呼ばれる）

太陽光、風力、水力、地熱などの枯渇しないエネルギー

枯渇性エネルギーは、このまま使い続けると枯渇してしまうため、徐々に再生可能エネルギーにシフトして行く必要があります。このままのペースで枯渇性エネルギーを使い続けると、以下の年数で資源が尽きてしまうといわれています*。

石炭	54年
石油	49年
天然ガス	139年
ウラン	115年

＊日本原子力文化財団、https://www.ene100.jp/zumen/1-1-6（数値はBP統計2021およびOECD/NEA「Uraniumu2020」が原出典）

　また、枯渇性エネルギーの多くは、特定地域に偏在しています。つまり、資源を持たない国は、資源を持つ国に大きく依存してしまいます。資源を持たない日本は、中東からたくさんの石油を輸入しています。1970年代には、中東での戦争によって、日本経済はオイルショックという大打撃を2度も受けました。

FIGURE 3 世界の原油の埋蔵量

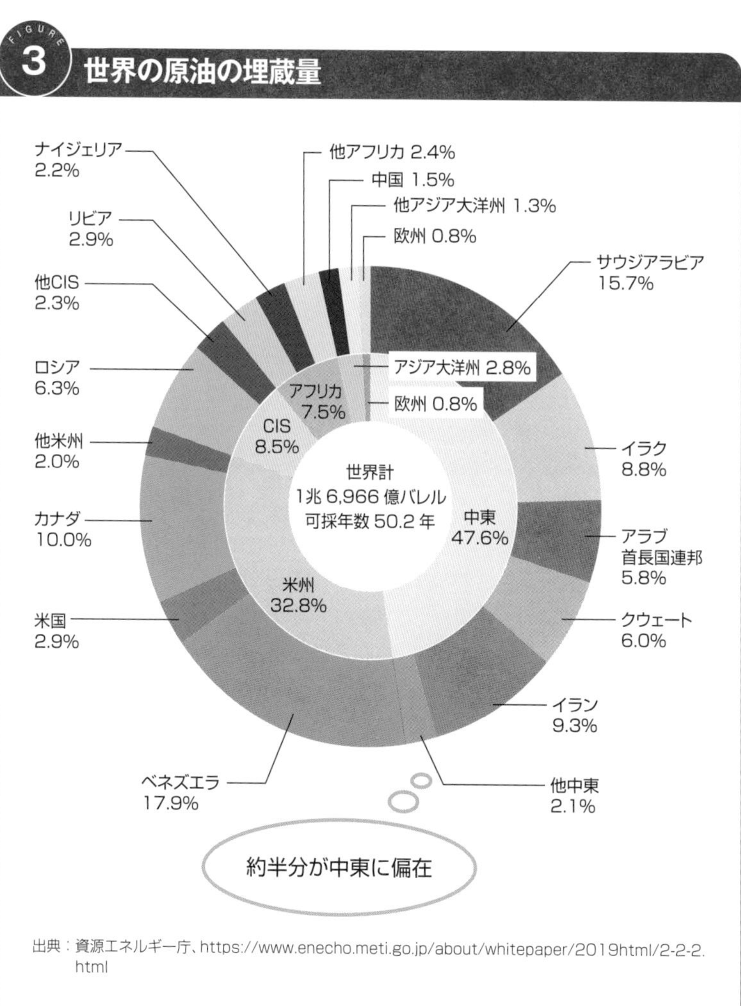

出典：資源エネルギー庁、https://www.enecho.meti.go.jp/about/whitepaper/2019html/2-2-2.html

FIGURE 4 世界の天然ガスの埋蔵量

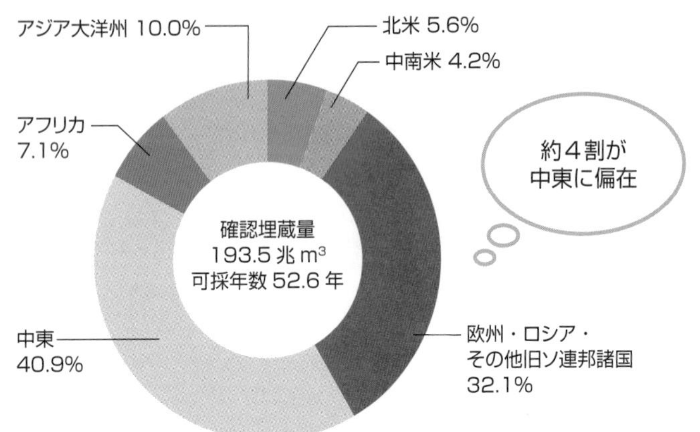

出典：資源エネルギー庁、https://www.enecho.meti.go.jp/about/whitepaper/2019html/2-2-2.html

FIGURE 5 世界のエネルギー資源確認埋蔵量

石炭	石油	天然ガス	ウラン
1兆741億トン	1兆7,324億バレル	188兆m³	615万トン
（2020年末）	（2020年末）	（2020年末）	（2019年1月）

139年	54年	49年	115年

出典：日本原子力文化財団，https://www.ene100.jp/zumen/1-1-6

電力需給との結びつき

エネルギーは電力の需給とも密接に関わってきます。

1 電力観点でのエネルギーの分類

私たちにとって最も身近なエネルギーの形は**電気**です。電気として使うためには、エネルギー資源を電気に変換、つまり発電する必要がありますが、電気の需要と供給は1日の中でも年間を通じても大きく変化します。日中は経済活動が活発化し、工場も稼働するため電力の需要が高まりますが、皆が寝静まる夜中の電力需要はあまり高くありません。また、暑さの厳しい夏や寒さの厳しい冬には、エアコン・ヒーター利用のため電力需要が高まります。

こうした需要の変化に対応する形で発電する必要がありますが、多くの**再生可能エネルギー**は、天気などの自然環境に依存して発電量が変化してしまいます。また、火力発電や原子力発電は簡単には止められないので、夜中も動き続けます。こうした需給の特徴を踏まえ、電源形態は以下のように3種類に分かれます。

①**ベースロード電源**：昼夜問わず、稼働し続ける電源。

例）石炭を用いた大規模火力発電、原子力発電など

②**ピーク電源**：電力需要に応じて発電量をコントロールできる電源。

例）石油を用いた中・小型の火力発電や、揚水式の水力発電など

③**ミドル電源**：ベースロード電源とピーク電源の中間に位置づけられる電源。需要変動に応じて、出力の増減が可能。

例）LNG、LP ガスを用いた火力発電など

現在、経済産業省の定義では、出力が不安定な再生可能エネルギーはこれらの分類には含まれていませんが、今後は再生可能エネルギーを組み合わせ、需給のバランスを取っていくことになります。

環境省によれば、電源構成の考え方としては、「あらゆる面（安定供給、コスト、環境負荷、安全性）で優れたエネルギー源はない」、また、電源構成については、「エネルギー源ごとの特性を踏まえ、

FIGURE 6 電力需要に応じた電源構成

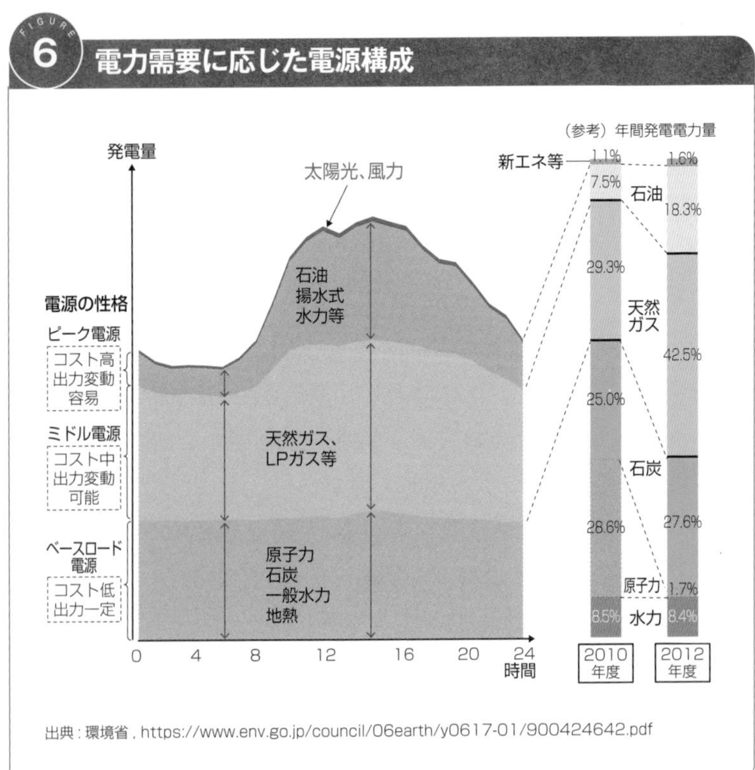

出典：環境省，https://www.env.go.jp/council/06earth/y0617-01/900424642.pdf

現実的かつバランスの取れた需給構造を構築しなければならない」とした上で、「そのためのベストミックスの目標を出来る限り早く決定したい」としています。

FIGURE 7 季節ごとの電力需要推移

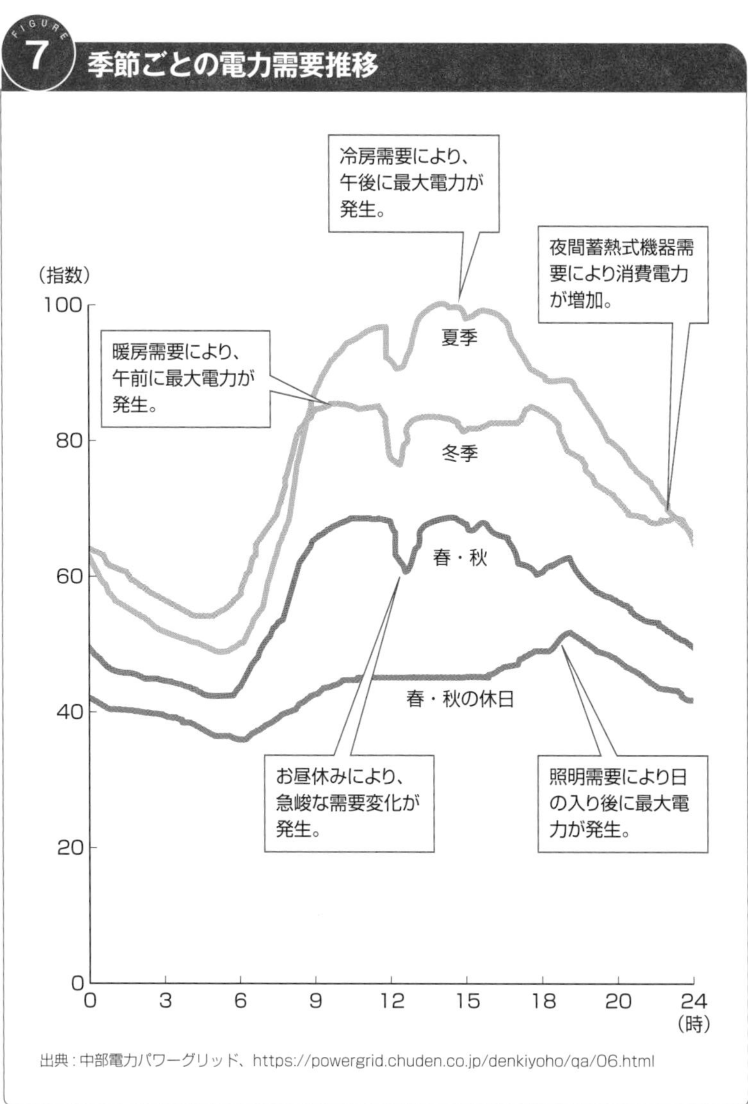

出典：中部電力パワーグリッド、https://powergrid.chuden.co.jp/denkiyoho/qa/06.html

政策・国策との結びつき

私たちの生活において、エネルギーは欠かせません。政府としても国家の安定を維持するため、エネルギー政策を最重要事項として掲げています。

1 エネルギーと政策

エネルギーは日常生活や産業に不可欠です。したがって、国家の安定のために各国はエネルギーの確保に懸命に取り組んでいます。

一般的にエネルギーは電気の形で利用しますが、電気は保存が難しく、電気に変換する前の石油、石炭などのエネルギー資源の形で保存する必要があります。

しかし、エネルギー資源は偏在しているため、各国は資源の確保手段や発電方法は多様化しています。また、他国の資源に依存する必要のない再生可能エネルギーの利用を促進するなど、国家レベルでエネルギーを確保する必要があります。

また、近年は、化石燃料由来のエネルギーの利用で、気候変動や大気汚染などの影響が出てきており、化石燃料由来のエネルギーに関する規制が世界中で強まってきています。

こうした状況を踏まえ、各国はエネルギーを確保するための政策を国策として打ち出しています。資源の確保と代替手段の検討、および環境問題への対応が国家レベルで求められているのです。

国家の安定、および国民の生活にも直結するため、選挙の際には各政党がほぼ必ずエネルギー関連の政策を掲げています。次回の選挙の際には、エネルギー政策についても着目してみてください。

2022年 参議院選挙 主要各政党のエネルギー政策

政党	エネルギー政策
自由民主党	エネルギー・物資の安定供給のため、内外の資源開発や再生可能エネルギーの最大限の導入、安全が確認された原子力の最大限の活用を図る。
立憲民主党	2030年までに省エネ・再エネに200兆円を投入する。2050年に2013年比で60%省エネする一方、再エネ電気を100%にし、化石燃料、原子力発電に依存しない社会を実現する。原子力発電所の新増設は認めない。
公明党	経済安全保障の観点から一次エネルギー供給の国産化を強力に推進し、化石燃料輸入の最小化を目指す。徹底した省エネや再エネの主力電源化に向けた取り組み等を通じ、将来的に原子力発電に依存しない社会を目指す。
日本維新の会	原発の再稼働にかかる国の責任と高レベル放射性廃棄物の最終処分などに係る必要な手続きを明確化するため、「原発改革推進法案」を制定する。
国民民主党	電力需給のひっ迫を回避するため、法令に基づく安全基準を満たした原子力発電所は再稼働する。再生可能エネルギー技術への投資を加速し、分散型エネルギー社会の構築を目指す。
日本共産党	エネルギー消費を4割減らし、再生可能エネルギーで電力の50%をまかなう。即時原発ゼロ、石炭火力からの計画的撤退をすすめ、2030年度に原発と石炭火力の発電量はゼロとする。

出典：NHK、https://www.nhk.or.jp/senkyo/database/sangiin/pledge/policy/06/

戦争・紛争との結びつきと地政学

歴史上、エネルギーを巡る戦争・紛争が繰り返されています。一見エネルギーとは関係のないように見える戦争も、地政学観点で考えるとエネルギーを巡る争いが見えてくることもあります。

1 戦争・紛争との結びつき

エネルギーは国家の安定・発展に必要であり、国策と密接に結びついています。一方、エネルギー資源は偏在しており、限りもあります。こうした背景から、エネルギー資源の確保を巡る、あるいはエネルギー資源を戦略的に用いた戦争・紛争は歴史上たびたび発生しています。以下に、戦争とエネルギーの関係をまとめてみました。

- 太平洋戦争：日本 vs アメリカ・イギリス・オランダ
  例）日本への石油輸出を禁止
- 中東戦争：イスラエル vs アラブ諸国
  例）イスラエル支持国（主に欧米諸国）への石油輸出を禁止
- イラン・イラク戦争：イラン vs イラク
  例）湾岸部の石油資源を巡る対立

2 地政学とは？

こうしたエネルギーを巡る各国の戦略、動向を地理的観点から読み解く学問として**地政学**があります。地政学とは「地理学」「政治学」を組み合わせた学問で、英語では“Geopolitics”と呼ばれています。

各国の地理的条件（大陸、島国、山が多い、資源が多いなど）を鑑みて各国の戦略・政策を考える学問で、エネルギーと密接に結びついています。

エネルギーと各国の政策や動向を読み解くには、地政学を知ることが非常に重要です。最近では、ロシアのウクライナ侵略戦争が続いていますが、こちらも地政学的観点で、エネルギーおよびロシア・西側諸国の戦略・政策が密接に関わっており、こうした時事ニュースを見る目も、地政学を学ぶことで変わってくるでしょう。

FIGURE 9 地政学の概念図

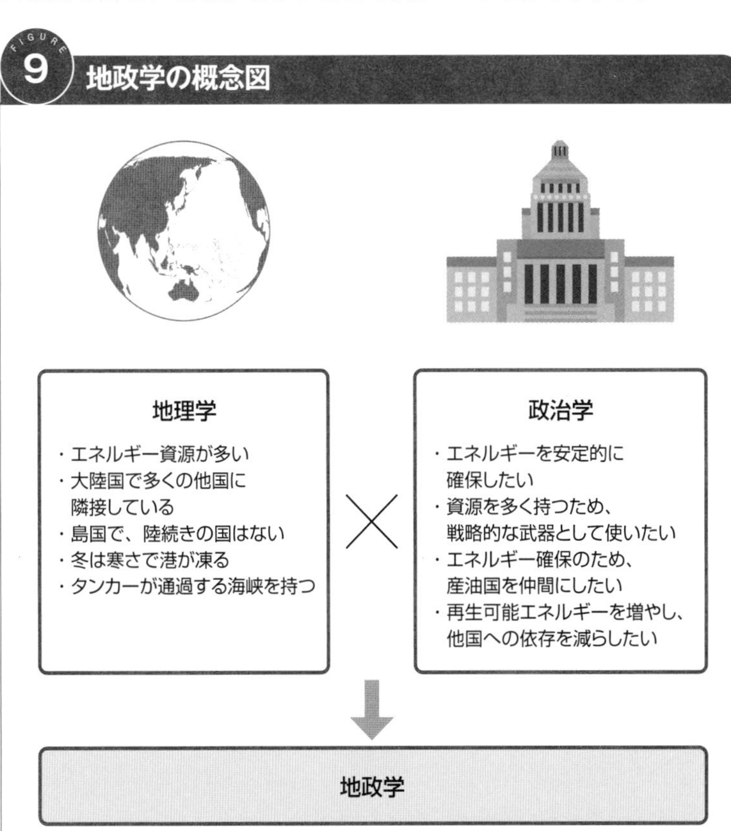

環境との結びつき

エネルギー政策は、環境問題とも密接に絡んできます。近年、日本でもSDGsやパリ協定、カーボンニュートラルといった環境関連の言葉をよく耳にするようになりました。

1 エネルギーと環境問題

化石燃料を由来とするエネルギーは、燃やすと二酸化炭素（CO_2）を排出します。CO_2は、メタンなどと共に温室効果ガスと呼ばれ、地球温暖化を引き起こします。

また、硫黄酸化物（SOx）、窒素酸化物（NOx）や煤塵なども排出し、酸性雨や大気汚染を引き起こします。

こうした環境問題は国境を超えて影響が広がるため、グローバルでの課題となっています。既に**島嶼国**（とうしょこく）*や乾燥地帯の途上国などで深刻な影響が出始めています。

2 エネルギーと環境への対応

こうした環境問題を緩和するため、化石燃料由来のエネルギーの規制がヨーロッパを中心にトレンドとなりつつあります。

温室効果ガスの排出量を部門別にみると、**エネルギー転換部門**、すなわち石油・石炭といった一次エネルギーを、電力などの二次エネルギーの形に転換する部門が圧倒的に大きいことがわかります。つまり、発電の際に大量のCO_2を排出しているということです。

こうした背景もあり、各国が政策としてCO_2を排出しない再生可能エネルギーの推進を掲げているのです。

---

*__島嶼国__　島々で構成されており、大陸から距離があるために開発が困難な発展途上国。

FIGURE 10 火力発電による環境問題の模式図

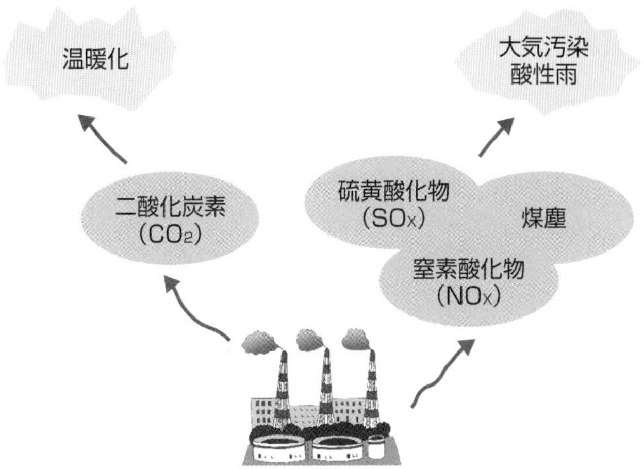

FIGURE 11 温室効果ガス部門別排出量（電気・熱配分前）

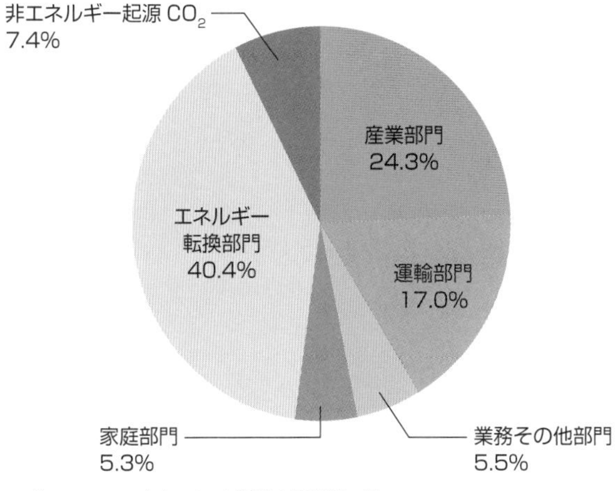

出典 :https://www.env.go.jp/content/900445424.pdf

Column

コロナとエネルギー

2019年、新型コロナウイルス感染症（COVID-19）により世界は大きな変容を強いられました。日本では緊急事態宣言が発令され、街から人影が消えました。人の集まる施設は閉鎖され、稼働を停止した工場も多くありました。人々の移動も減り、公共交通機関はガラガラ、国内外の移動も途絶えました。

結果として、2020年の世界のエネルギー需要は2019年と比較して4%減少すると共に、世界のCO_2排出量も5.8%減少しました。人類が経済活動を停止すると、地球には優しいことが数値上にも現れました。

近年では、徐々にコロナ前の生活に戻りつつあります。ただし、コロナ禍において変容した生活は、完全には元には戻りません。「ニューノーマル」と呼ばれる新しい社会様態に移行し、新たな生活を営むようになっています。

それに従い、エネルギー利用にも変化がありました。毎日の通勤がムダであると気づいた人々は、今でも在宅勤務を続け、オンラインで会議を行っています。形式的に続けていた海外出張も、オンラインで代替できると気が付いた企業も多くあります。「アフターコロナ」の社会では、こうした形でムダなエネルギーの消費が減少しつつあります。奇しくもコロナのおかげで、持続可能な社会の実現へのトリガーが引かれたと言えるでしょう。

今後も、技術の発展により社会が大きく変容し、エネルギー利用にも大きな変化が訪れる時代がやってきます。例えば、「メタバース」と呼ばれる仮想空間での生活・経済活動がより活発になった場合、身体やモノの移動は現在より大きく減ります。一方で、生活水準が下がったり経済活動が衰退するわけではなく、現実世界が拡大される感覚で、双方とも今より良いものになるでしょう。そのような世界が到来した際には、環境維持と経済発展を両立できる社会が実現されているかもしれません。

世界の動向・日本の動向

自然環境と経済活動の両立がトレンド？

地球温暖化を中心とした環境問題の解決に向け、先進国・途上国が一丸となって対策を講じるべきだという流れが世界中で進みつつあります。

多くの国が、環境と経済をトレードオフの関係とみなし、経済発展のためには環境を犠牲にすることは仕方ないものとみなしてきました。

一方、環境を犠牲にするということは、私たちの生活にも影響を与えます。大気汚染や水質汚濁により病気になったり、気候変動により強力な台風やサイクロンに見舞われるようになるなど、既に各所で影響が出ています。

こうした状況も踏まえ、各国は環境と経済をトレードオンにする、つまり環境の維持と経済の発展を両立させることを目指すべきだという考えが生まれました。

つまり、自然環境も人間の経済活動も持続可能（サステナブル）であるべきだということですね。こうした背景も踏まえ、世界および日本の動向を見ていきましょう。

世界的な脱炭素の流れ

現在、世界では「脱炭素」がトレンドとなっています。2021年、CO_2の気候への影響を明らかにした眞鍋淑郎氏*がノーベル物理学賞を受賞したことからも注目度の高さが伺えます。

1 脱炭素とは

気候変動に関する国際組織である**IPCC***（気候変動に関する政府間パネル）は、地球温暖化の原因が人間の活動によるものであるとの報告を行いました。温暖化の原因は温室効果ガス、主にCO_2の増加が原因だと考えられており、そのCO_2の増加は人間の活動によるものだということですね。

CO_2の組成は炭素と酸素です。このうち炭素の方にフォーカスした表現でCO_2の削減を目指すことを**脱炭素***と呼んでいます。

2 世界の動向

脱炭素に向け、各国は国際条約の締結や国際目標の制定をし、一丸となって様々な取り組みを進めています。

近年では、2015年、**COP21***（気候変動枠組条約締結国会議）にて**パリ協定**が採択されました。パリ協定は、1997年に採択された**京都議定書**以来の気候変動に関わる国際的枠組みです。産業革命以前と比較し、世界の平均気温上昇を2度未満に抑えることを目的としています。

京都議定書とは異なり、気候変動枠組み条約に加盟する全196か国すべてが参加する取り組みとなりました。また、パリ協定と同じく2015年に、SDGs（持続可能な開発目標）が国連総会にて採択されました。2030年までに達成するべき17の目標を定めており、エネルギー、気候変動、海・陸の環境などの目標も含まれています。

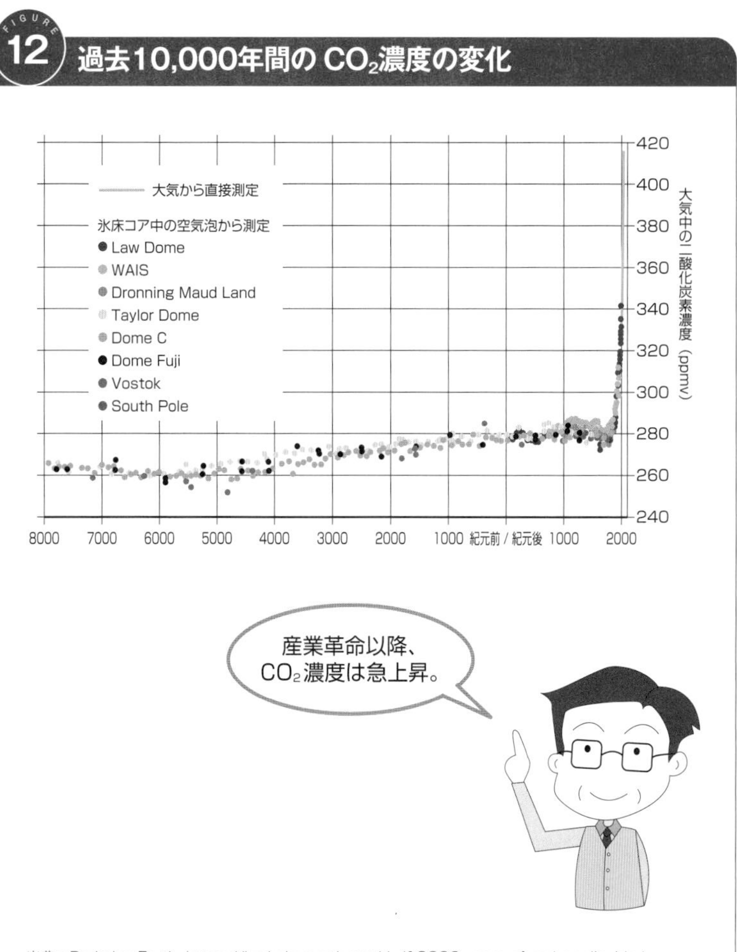

出典：Berkeley Earth, https://berkeleyearth.org/dv/10000-years-of-carbon-dioxide/

＊**眞鍋淑郎**　地球科学者。地球温暖化の研究の第一人者。
＊**IPCC**　International Panel on Climate Change の略。
＊**脱炭素**　気候変動問題の被害を最小限に食い止めるため、温室効果ガスの大気への排出量を実質ゼロにすること。
＊**COP21**　Conference of Parties 21の略。

FIGURE 13 SDGsの17目標

1	貧困をなくそう	あらゆる場所で、あらゆる形態の貧困に終止符を打つ。
2	飢餓をゼロに	飢餓に終止符を打ち、食料の安全確保と栄養状態の改善を達成するとともに、持続可能な農業を推進する。
3	すべての人に健康と福祉を	あらゆる年齢のすべての人の健康的な生活を確保し、福祉を推進する。
4	質の高い教育をみんなに	すべての人に包摂的かつ公平で質の高い教育を提供し、生涯学習の機会を促進する。
5	ジェンダー平等を実現しよう	ジェンダーの平等を達成し、すべての女性と女児のエンパワーメントを図る。
6	安全な水とトイレを世界中に	すべての人に水と衛生へのアクセスと持続可能な管理を確保する。
7	エネルギーをみんなにそしてクリーンに	すべての人々に手ごろで信頼でき、持続可能かつ近代的なエネルギーへのアクセスを確保する。
8	働きがいも経済成長も	すべての人のための持続的、包摂的かつ持続可能な経済成長、包摂的な完全雇用およびディーセント・ワーク（働きがいのある人間らしい仕事）を推進する。
9	産業と技術革新の基盤をつくろう	強靱なインフラを整備し、包摂的で持続可能な産業化を推進するとともに、技術革新の拡大を図る。
10	人や国の不平等をなくそう	国内および国家間の格差を是正する。
11	住み続けられるまちづくりを	都市と人間の居住地を包摂的、安全、強靱かつ持続可能にする。
12	つくる責任つかう責任	持続可能な消費と生産のパターンを確保する。
13	気候変動に具体的な対策を	気候変動とその影響に立ち向かうため、緊急対策を取る。
14	海の豊かさを守ろう	海洋と海洋資源を持続可能な開発に向けて保全し、持続可能な形で利用する。
15	陸の豊かさも守ろう	陸上生態系の保護、回復および持続可能な利用の推進、森林の持続可能な管理、砂漠化への対処、土地劣化の阻止および逆転、ならびに生物多様性損失の阻止を図る。
16	平和と公正をすべての人に	持続可能な開発に向けて平和で包摂的な社会を推進し、すべての人に司法へのアクセスを提供するとともに、あらゆるレベルにおいて効果的で責任ある包摂的な制度を構築する。
17	パートナーシップで目標を達成しよう	持続可能な開発に向けて実施手段を強化し、グローバル・パートナーシップを活性化する。

国際的な環境関連の対立

現在、パリ協定やSDGsなどの国際的な環境関連の取り決めを通じ、世界が一丸となって環境問題への取り組みを推進するべきという潮流となっています。一方、全世界の合意を得られるまでには紆余曲折ありました。

1 環境と開発を軸に先進国と途上国が対立

毎年6月5日は**環境の日**です。なぜ、6月5日なのでしょうか。

それは、1972年6月5日に世界で初めて環境をテーマにした会議**国連人間環境会議**（通称**ストックホルム会議**）が開催されたためです。この会議で、国際的環境法の基本となる**人間環境宣言**（通称**ストックホルム宣言**）が採択されました。

さらに国連で初の環境関連機関である**UNEP**＊（国際連合環境計画）がケニアのナイロビに設立されました。これは、第3世界に本部を置いた初の国際機関です。

一方、ストックホルム会議の10年後の1982年、先進国と途上国の環境および開発を議論する場として**ナイロビ会議**が設けられました。

ここでは、先進国が「途上国も含めみんなで環境問題を解決しよう」と提案する一方で、途上国は「先進国は成長過程で環境を汚してきた。途上国はこれから発展するために、環境を汚す権利がある」と主張し、**南北問題**が火を噴きました。

＊**UNEP**　United Nations Environment Programmeの略。

2 南北問題とは？

先進国と途上国の経済格差は、南北問題と呼ばれています。世界地図で見た際に、先進国は北側、途上国は南側に位置する傾向があるため、南北問題と呼ばれています。

環境と経済成長の観点でも南北問題が浮かび上がり、対立が発生してしまっていたのですね。

環境関連イベントの流れ・概要

1972年 国連人間環境会議 （ストックホルム会議）	・人間環境宣言（通称ストックホルム宣言） ・UNEP設立（初の環境関連の国際機関） ・開催日の6月5日が「環境の日」に

1982年 ナイロビ会議	・先進国と途上国の間で、経済成長と環境をめぐり議論 ・先進国と途上国で対立し南北問題に

先進国と途上国の経済格差が問題になっています。

環境問題への国際的な合意

環境と経済成長を巡り、先進国と途上国の対立が発生してしまいました。それをどう合意に導いたのでしょうか。

1 ブルントラントレポートでの報告

1984年、日本の提案により、高い見地から環境問題について提案を行う委員会**環境と開発に関する世界委員会**が設立されました。この委員会は、当時初めての女性首相であったノルウェーのブルントラントが委員長であったため、**ブルントラント委員会**とも呼ばれています。ブルントラント委員会は、1987年、東京の赤坂プリンスにおいて報告書 "Our Common Future"（**ブルントラント報告書**）を発表し、その中で「Sustainable Development（持続可能な開発）」の定義を次のように述べました。「持続可能な開発とは、将来の世代のニーズを満たす能力を損なうことなく、今日の世代のニーズを満たすような開発である」。

2 リオサミットの開催

ナイロビ会議から10年後、すなわち「国連人間環境会議（ストックホルム会議）」から20年後の1992年、ブラジルのリオデジャネイロにおいて、**環境と開発に関する国際連合会議**、通称**地球サミット**（あるいは**リオサミット**）が開催されました。その中核となったテーマが「Sustainable Development（持続可能な開発）」です。

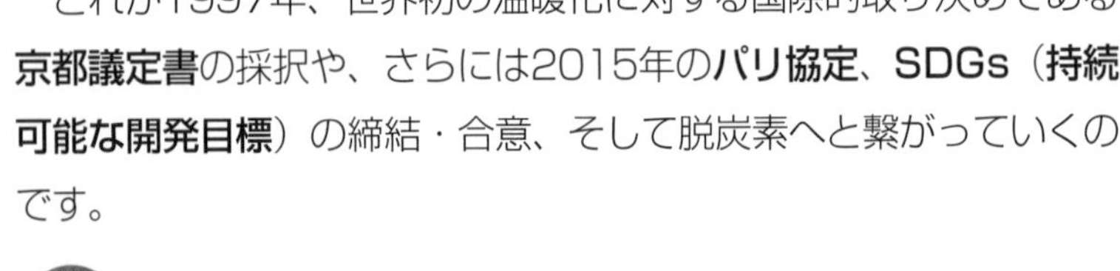

これが1997年、世界初の温暖化に対する国際的取り決めである**京都議定書**の採択や、さらには2015年の**パリ協定**、**SDGs（持続可能な開発目標**）の締結・合意、そして脱炭素へと繋がっていくのです。

FIGURE 15 環境関連イベントの流れ・概要

1984年 ブルントラント委員会設立	・ノルウェー初の女性首相、ブルントラントが、委員長を務める。
▼	
1987年 “Our Common Future”の発行	・邦訳「地球の未来を守るために」 ・Sustainable Developmentを定義。
▼	
1992年 地球サミット （リオサミット）	・ストックホルム会議の20年後 ナイロビ会議の10年後 ・テーマは「Sustainable Development（持続可能な開発）」

FIGURE 16 Sustainable Development（持続可能な開発）の定義

日本の動向

石炭から石油へのエネルギー源の転換、いわゆるエネルギー革命に端を発した日本の高度経済成長期も、オイルショックを経て終焉しました。世界の環境問題に対するアクションを受け、環境を犠牲にして高度経済成長を遂げた日本はその後どうしたでしょうか。

1 環境基本法の制定

地球サミットの開催された1992年当時、日本では環境と名の付く法律はありませんでした。そこで地球サミット後の1993年、4大公害病を受け制定されていた公害対策基本法を「環境基本法」と改めました。その際、**環境基本法**第3、4、5条において、持続可能な社会の構築のため、地球サミットの中核テーマであるSustainable Development（**持続可能な開発**）の概念が取り入れられることになったのです。

2 環境庁・エネルギー庁の設立

主体的に環境問題に取り組みを行う組織として、1971年に環境庁が設立されました。2001年には環境省に格上げされ、日本政府としての環境問題への取り組みを推進しています。

また、エネルギー分野では、1973年に経済産業省に資源エネルギー庁が設立されました。エネルギー資源の安定確保や省エネ・新エネルギーの推進などに取り組んでいます。

3 個人での取り組み推奨策

省庁の設立と共に、各自治体にて個人でできる様々な環境問題・

省エネに関する取り組みが推奨されました。

ボトムアップではなかなか日本人の生活スタイルは変わらないので、トップダウンで変えていけるのはよい取り組みですね。

FIGURE 17 日本の4大公害

病名	水俣病	新潟水俣病	イタイイタイ病	四日市ぜんそく
発生地域	熊本県水俣市 不知火海沿岸	新潟県 阿賀野川流域	富山県 神通川流域	三重県 四日市市
原因物質	メチル水銀化合物（水質汚濁）		カドミウム （水質汚濁）	硫黄酸化物 （大気汚染）
症状	手足のふるえ 神経障害 平衡機能障害 言語障害		骨軟化症 腎機能障害	気管支炎 気管支ぜんそく 呼吸器疾患 肺気腫

FIGURE 18 省庁・自治体にて推奨された個人でできる取り組み例

事例	概要
クールビズ	夏場にネクタイや上着を着用せず、日本の風土に合わせ衣服を軽装化し、極度なクーラーの利用を抑えることによる省エネ
ウォームビズ	過度な暖房に頼らず、上着やセーター、タートルネックなど暖かい服装で過ごすことによる省エネ
クールシェア	1人ひとりが個別にエアコンを使うのではなく、同じ空間に集まってエアコンをシェアすることによる省エネ
スマートムーブ	マイカーではなく公共交通機関を利用することによる二酸化炭素排出量の削減
エコドライブ	運転時の加速や減速をゆっくり行うことによるガソリン使用量の削減

カーボンニュートラルと各国の目標

脱炭素の流れを受け、世界では「カーボンニュートラル」の取り組みが国家レベルで進められています。

1 カーボンニュートラルとは

CO_2やメタン（CH_4）などの代表的な温室効果ガスは炭素（カーボン）を含みます。温暖化を抑制するために、こうした炭素を抑制し、排出ゼロを目標としたいところですが、経済との両立のためには現実的ではありません。そこで、炭素の排出を正味（ネット）ゼロに、つまり炭素の排出と、森林管理・植林や炭素回収技術などによる炭素吸収を差し引きしてゼロにしましょうというのが**カーボンニュートラル***の考え方です。

2 カーボンニュートラルによる社会変革

パリ協定の採択を受け、世界各国が2050年までのカーボンニュートラル目標を掲げています。日本も、2021年に当時の菅（すが）首相が2050年までにカーボンニュートラルを達成することを宣言しました。

また、カーボンニュートラルの達成は、単なる温暖化対策ではなく、**ESG投資***の呼び込みや新技術の開発、経済・社会構造の変革へと繋がります。

＊**カーボンニュートラル**　何かを生産したり、一連の人為的活動を行った際に、大気中に排出される二酸化炭素と大気中から吸収される二酸化炭素が等しい量であり全体としてゼロとなっている状態。
＊**ESG投資**　Environment（環境）、Social（社会）、Governance（ガバナンス）に配慮した投資活動。

菅首相の演説においても、「もはや温暖化への対応は経済成長の制約ではありません。温暖化対策を行うことが、産業構造や経済社会の変革をもたらし、大きな成長に繋がるという発想の転換が必要です」と表明されており、環境と経済がトレードオンの関係となることが期待されています。

FIGURE 19 私たちが排出している CO_2

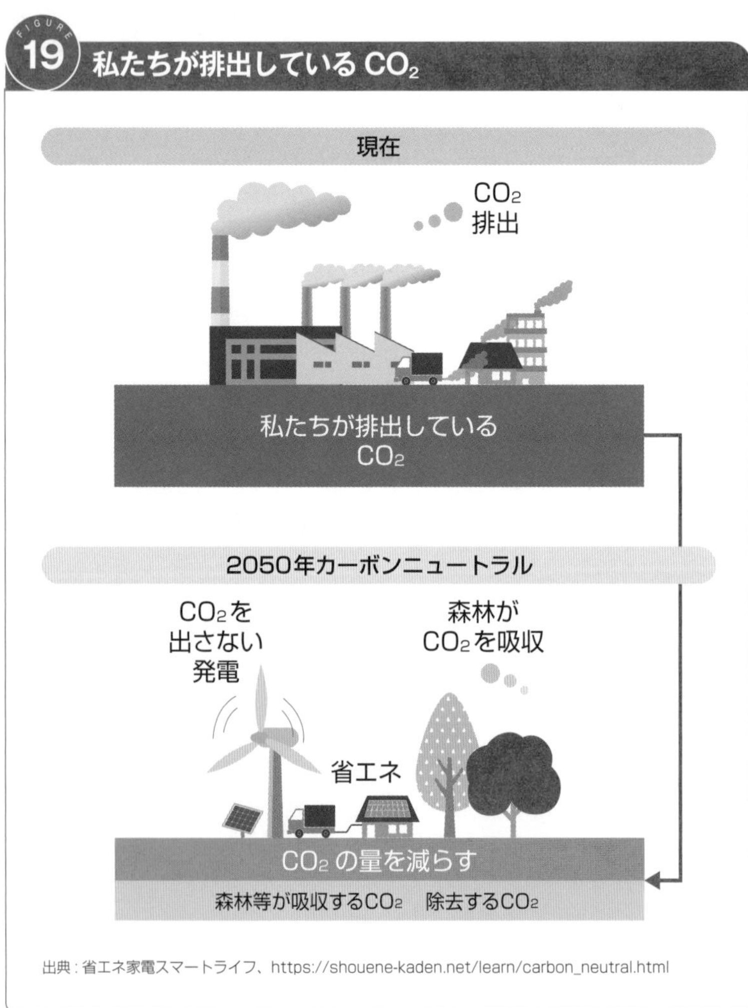

出典：省エネ家電スマートライフ、https://shouene-kaden.net/learn/carbon_neutral.html

FIGURE 20 カーボンニュートラルとは何か？

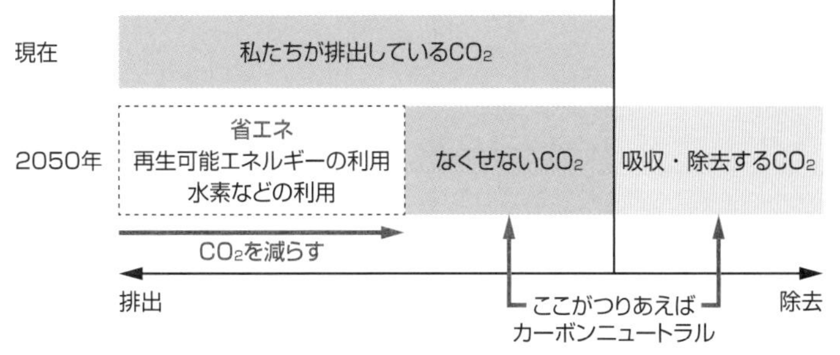

出典：省エネ家電スマートライフ、https://shouene-kaden.net/learn/carbon_neutral.html

FIGURE 21 主要各国のカーボンニュートラル目標

	2020年	2030年	2040年	2050年	2060年
日本		2013年度比で46%減、さらに50%の高みに向けて挑戦（気候サミットにて総理表明）		カーボンニュートラル（法定化）	
EU		1990年比で少なくとも55%減（NDC）		カーボンニュートラル（長期戦略）	
英国		1990年比で少なくとも68%減（NDC）		カーボンニュートラル（法定化）	
米国	2021年1月パリ協定復帰を決定	2005年比で50～52%減（NDC）		カーボンニュートラル（大統領公約）	
中国		2030年までにCO_2排出を減少に転換（国連演説）			カーボンニュートラル（国連演説）

出典：経済産業省、https://www.enecho.meti.go.jp/about/whitepaper/2021/html/1-2-2.html

カーボンニュートラルに向けた新技術

カーボンニュートラルの実現のためには、新技術の開発が不可欠です。ここでは先進的な事例をいくつか紹介したいと思います。

1 CCS（二酸化炭素回収・貯留）

CCS *は、CO_2を回収し貯蔵する技術です。地中の化石燃料を燃やして大気中に放出し続ける限り、大気中のCO_2は増え続けます。そこで、工場や火力発電所から出るCO_2を回収し、地中の深いところに圧入することで、CO_2を地中に固定する技術です。吸着剤を用いて大気から直接CO_2を回収する**DACCS** *や、バイオエネルギーを用いた発電施設のCO_2を回収・貯蔵することで、大気中のCO_2量を純減させる**BECCS** *といった技術も開発されています。

2 CCUS（二酸化炭素の回収・貯留・有効利用）

CCUS *はCCSとは異なり、CO_2を貯蔵するだけでなく、上手く活用する技術です。例えば、回収したCO_2を開発済みの油田に圧入することで、油田に残った石油の抽出に活用できます。圧入されたCO_2は、古い油田に貯蔵されます。

* CCS　Carbon dioxide Capture and Storageの略。
* DACCS　Direct Air Carbon dioxide Capture and Storageの略。
* BECCS　Bio Energy with Carbon Capture and Storageの略。
* CCUS　Carbon dioxide Capture, Utilization and Storageの略。

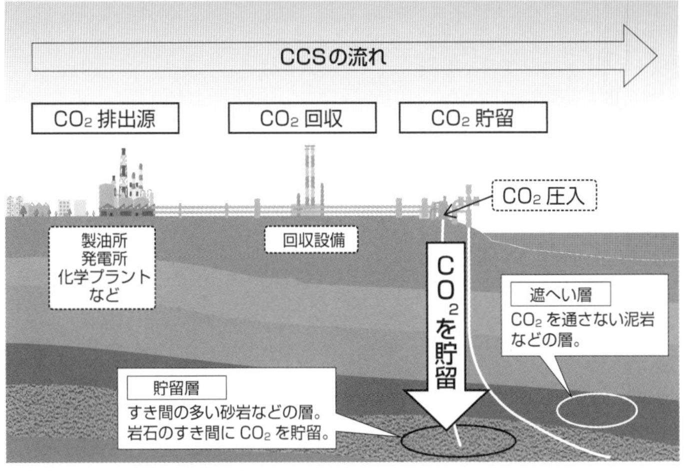

出典：経済産業省、https://www.enecho.meti.go.jp/about/special/johoteikyo/ccus.html

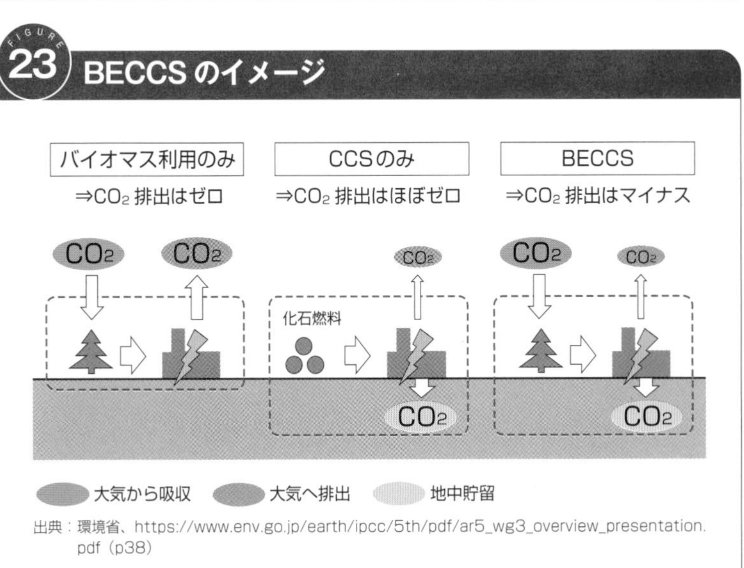

出典：環境省、https://www.env.go.jp/earth/ipcc/5th/pdf/ar5_wg3_overview_presentation.pdf（p38）

3 新技術の課題

CCU や CCUS といった新技術を用いても、CO_2を回収・貯蔵するために動力が必要であり、その動力源の多くは化石燃料です。すなわち、CO_2を回収·貯蔵するために、CO_2を排出しているのですね。

したがって、回収・貯蔵に関わるエネルギー効率を高め、排出される CO_2を極力減らすことが大切になってきます。

Column

環境教育（ESD）とエネルギー

環境やエネルギーに対する思考体系の形成において、環境教育は非常に重要です。環境教育とは、その名の通り環境に関する教育のことで、日本では学習指導要領に含まれています。また、国連では持続可能な開発のための教育（ESD：Education for Sustainable Development）の一環として重点的に扱われています。近年、環境教育を受けたZ世代の環境意識が高いことからもわかる通り、幼少期に受けた教育は、その後の思考体系に大きく影響を与えます。エネルギーをガンガン消費して経済発展することが是だという教育を受けた世代にとって、経済発展を抑制して環境を守るべきだという考えを受け入れることは容易ではありません。したがって、学校教育において環境教育を取り入れ、主体的に環境についての学びを深め、実践的にアクションを起こせるようになることが今後の世代に求められます。

自分たちの利用しているエネルギーがどこから来て、どのように電気に変換されるのか、どのようなメリット·デメリットがあるのか。世界のエネルギー事情を鑑みて、自分はどう行動するべきなのか。電気を利用することもできない貧困地域の同世代の子どもがいる一方で、自分たちはエネルギーをどんどん使い続けて良いのか。子どもたちの好奇心をこういった問いに昇華し、考え、議論し、実践する。このような環境教育を推進することで、持続可能な社会の実現に向けた礎が形作られていくでしょう。

エネルギーと地政学

地理と政治で
エネルギー動向がわかる？

エネルギーは、地理、政治と密接に絡み合っています。エネルギー資源は偏在している上、限りがあります。一方、エネルギーがないと、国家を安定的に保ち、経済を発展させることができません。したがって、限られたエネルギー資源の確保を巡り、各国が戦略的に動く必要があります。

そこで大切になってくるのが、地政学の観点です。地政学は、地理的観点と政治的観点を組み合わせ、各国の動向を考える学問です。ロシアや中東の戦争が、どのような原因でなぜ起きているのかなどが分かると、エネルギー資源を巡る対立の構図が浮かび上がってきます。

地政学の教養を身に着け、国際関係のニュースを一段掘り下げて考えられるようにしていきましょう。

地政学とは

地政学とは「地理学」「政治学」を組み合わせた学問です。英語では"Geopolitics"と呼ばれ、エネルギーを考えるにあたって非常に重要な観点となります。

1 シーパワーとランドパワーのせめぎ合い

土地や資源を巡り、数々の戦争が繰り広げられてきました。勝った方が土地や資源を支配することができるため、どの国に対しどのタイミングで攻め込むべきか、どの国と同盟を組むべきか、国民をどう扇動するかなど、様々な策略を組んできました。

中でも大きな戦いは、**シーパワー**と**ランドパワー**の戦いです。シーパワーとは、海で囲まれた海洋国家を指し、イギリスや日本といった島国や、大陸だけれども多くを海に囲まれたアメリカやスペインといった国が該当します。海路を起点とした交易や経済活動を展開します。

一方ランドパワーは、陸上での交易や経済活動を展開する国で、陸上の国境で多くの国と接する、主にユーラシア大陸の国々を指します。ロシアや中国といった大国や、ドイツやフランスといったヨーロッパの国々が該当します。

2 両立できないシーパワーとランドパワー

シーパワーとランドパワーは両立できないと言われています。シーパワー国家である日本が、第二次世界大戦の際に満州や韓国、東南アジアに攻め込み、ランドパワーを手に入れようとして失敗していることからも明らかです。

現在では、ランドパワー国家である中国が現代のシルクロードである**「一帯一路」政策**を掲げ、陸路だけでなく海路においても交易・経済面で影響力を強めています。中国が定説を覆し、ランドパワーとシーパワーを両立できるかは注目ですね。

FIGURE 24 シーパワーとランドパワー

▼シーパワー

海洋における総合的な能力を持つ海洋国家で、港や基地などを装備して権益を守ろうとする。

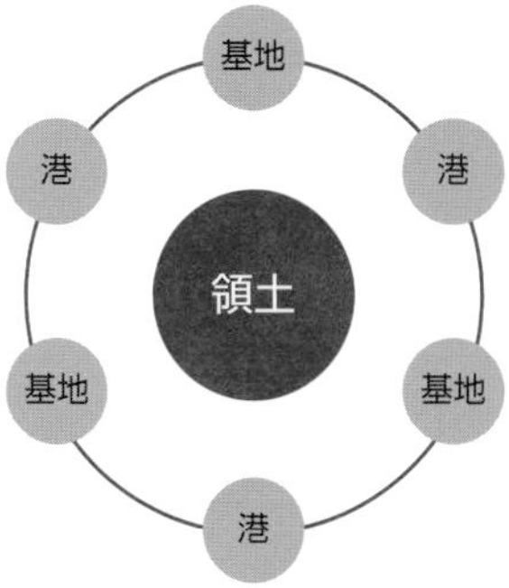

基地
港
港
領土
基地
基地
港

米国　英国　日本

▼ランドパワー

ユーラシア大陸に位置する内陸国家で、陸上における総合的な能力を持ち、支配領域の拡大を目指す。

領土

ロシア　中国　ドイツ

出典：Spectee、https://spectee.co.jp/report/geopolitics_for_crisis_management_1/

地政学的バランス観とチョークポイント

各国は国家の安全保障や資源·エネルギーを求め、各国と同盟を結び、時には争いを起こします。地政学的観点ではそれらの政略にも定説があります。

1 バランス・オブ・パワー戦略

歴史的にランドパワーとシーパワーはエネルギー資源を求めて対立し、数々の戦争を引き起こした上で、勝った方が世界をコントロールしてきました。15〜19世紀に、スペインやポルトガル、イギリスといったシーパワーの国々が覇権を握り、世界の土地と資源を牛耳ってきましたが、19世紀後半〜20世紀にかけては、ロシアやドイツといったランドパワーが、そして20世紀後半からはアメリカや日本といったシーパワーが台頭してきています。

こうした勢力関係の転覆の繰り返しのスパンは比較的長く、トップの座についた国は、一定期間その座を保ちます。これは**バランス·オブ·パワー戦略**によるものです。世界2位の国が台頭してきた際に、世界トップの国が、世界3位以下の国と協力して世界2位の国の勢力を削ぐ動きを取ることにより、世界トップの座を守る動きを指します。例えばアメリカは、冷戦時代はソ連を、近年では中国を抑えるため日本と協力し、トップの座を保っています。

2 チョークポイントの確保

現代において、船での移動ニーズは徐々に小さくなりつつありますが、特にモノの移動においては船が主力です。特に、化石燃料を中心とするエネルギー資源の輸送においては、ほとんどを船舶が担っています。

船舶の航行においてはルートの確保が重要となってきますが、その中で広く使われている狭い海峡を**チョークポイント**と呼びます。チョークポイントを敵対国に支配されると、輸送ルートが大きく制限されるため、チョークポイントの確保はエネルギー安全保障上も非常に重要な戦略となります。

FIGURE 25 世界の主なチョークポイント

チョークポイント	場所
スエズ運河	地中海と紅海、アフリカ大陸とシナイ半島の間
フロリダ海峡	メキシコ湾と大西洋、フロリダ半島とキューバ島の間
パナマ運河	太平洋と大西洋の間
マゼラン海峡	太平洋と大西洋、南アメリカ大陸とフエゴ島の間
ベーリング海峡	北極海とベーリング海、チュクチ半島とスワード半島の間
バシー海峡	南シナ海とフィリピン海、台湾島とパタン諸島の間
マラッカ海峡	アンダマン海とジャワ海、マレー半島とスマトラ島の間
スンダ海峡	インド洋とジャワ海、スマトラ島とジャワ島の間
ホルムズ海峡	ペルシア湾とオマーン湾の間
バブ・エル・マンデブ海峡	紅海とアデン湾、アラビア半島とアフリカ大陸の間
ジブラルタル海峡	大西洋と地中海、イベリア半島とアフリカ大陸の間
ダーダネルス海峡	エーゲ海とマルマラ海、バルカン半島とアナトリア半島の間
ボスポラス海峡	マルマラ海と黒海、バルカン半島とアナトリア半島の間
GIUKギャップ	グリーンランドとアイスランドとイギリス、大西洋と地中海、大西洋と北海の間

出典：Spectee、https://spectee.co.jp/report/suez_chokepoint/ （筆者にて一部加筆）

FIGURE 26 バランス・オブ・パワー戦略

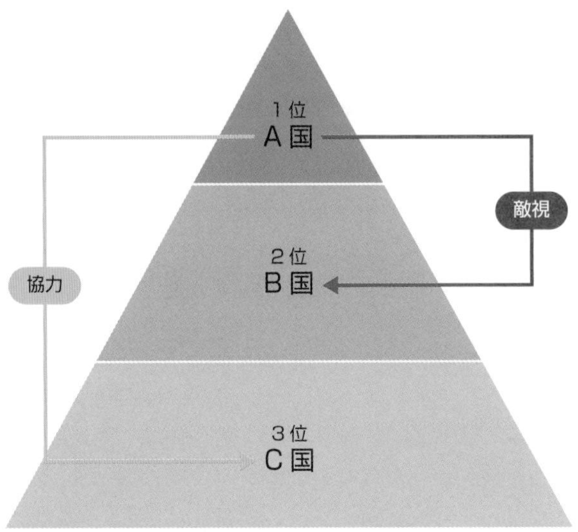

最大勢力であるA国は、3位のC国と同盟関係などを結んで協力し、
2位のB国と対立することで、抵抗できる国をなくす。

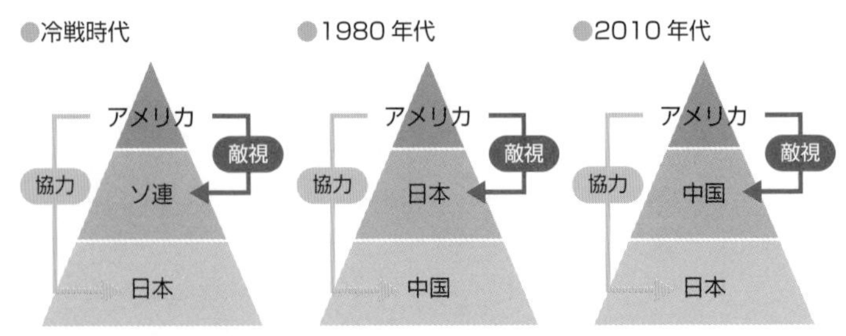

バランス・オブ・パワーで、アメリカは、
ソ連やかつての日本、現在の中国と対立。

出典：サクっとわかるビジネス教養 地政学（新星出版社）を参考に弊社で作成。

エネルギー自給率とエネルギーの確保

エネルギー資源は偏在しているため、エネルギー自給率の低い国は、海外にエネルギーを依存することになります。

1 エネルギー自給率

エネルギー資源、特に石油や天然ガスは中東地域に偏在しています。ただし、北海油田を持つノルウェーやイギリス、石炭や天然ガスが採掘できるオーストラリア、そしてシェール革命により原油を自給できるようになったアメリカやカナダは、先進国でも**エネルギー自給率**を高く保っています。エネルギー自給率が高いと、他国に依存せずとも安定的な国家運営が可能なため、例えばノルウェーやイギリスは、ヨーロッパに位置するにも関わらず、EU に属さず、独自に経済を回していることが特徴です。

一方、日本のようにエネルギー自給率の低い日本は、海外にエネルギーを依存することになるため、自国のみで国家の安定を実現することが難しい状態にあります。1970年代に2度発生したオイルショックでは、日本経済は大きな打撃を受けました。日本は**エネルギー基本計画**を策定し、各国と良い関係を保つことでエネルギーの長期供給の約束を取り付けたり、再生可能エネルギーの導入拡大により海外への依存を減らすなどの政策を打ち出しました。

2 先進国による搾取

資源をエネルギーとして取り出すためには莫大な投資および技術が必要です。一方、途上国の中には資源を持つものの、資金や技術が不足している場合も多々あります。多くの先進国は、途上国のサポートとして資金や技術提供をしていますが、その見返りとして資源を求めている場合も大いにあります。先進国におけるエネルギー資源の安定供給のための策略の1つですが、その手法には再考の余地がありそうです。

FIGURE 27 日本のエネルギー自給率の推移

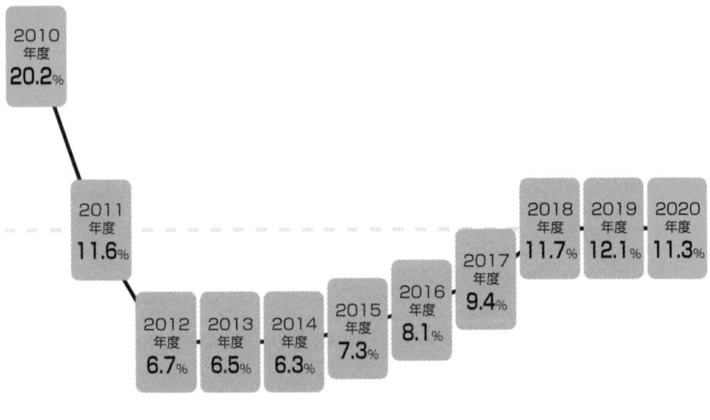

年度	自給率
2010年度	20.2%
2011年度	11.6%
2012年度	6.7%
2013年度	6.5%
2014年度	6.3%
2015年度	7.3%
2016年度	8.1%
2017年度	9.4%
2018年度	11.7%
2019年度	12.1%
2020年度	11.3%

出典：経済産業省、https://www.enecho.meti.go.jp/about/pamphlet/energy2022/001/#section1

FIGURE 28 主要各国のエネルギー自給率

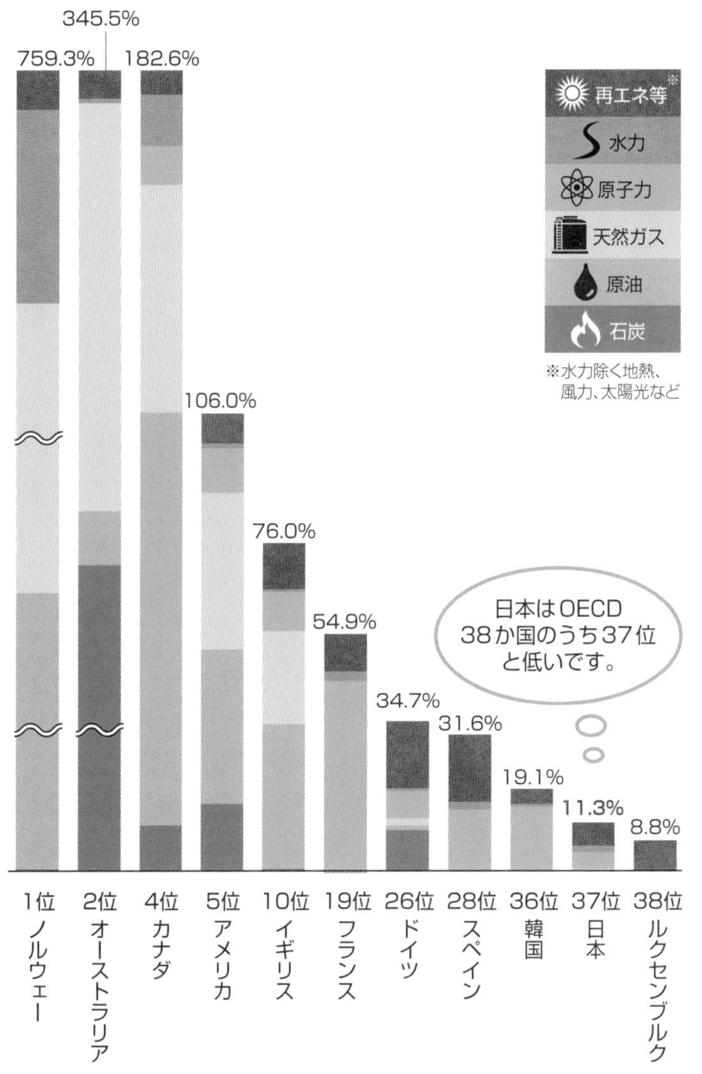

出典：経済産業省、https://www.enecho.meti.go.jp/about/pamphlet/energy2022/001/#section1

日本のエネルギー政策

資源の少ない日本においては、エネルギー政策が国家の安定および安全保障において非常に重要になります。

1 日本のエネルギー政策の基本は「S+3E」

S+3Eが日本のエネルギー政策の基本方針です。安全性(Safety)を大前提とし、エネルギーの安定供給（Energy Security)、エネルギーの経済効率性（Economic Efficiency)、エネルギーの環境適合(Environment)を実現するとしています。これらは**エネルギー政策基本法**における柱であり、基本方針を基に、3年ごとに**エネルギー基本計画**を定めています。

2 エネルギーミックス

複数の発電方法を組み合わせ、特定のエネルギーに依存しない発電方法を**エネルギーミックス**と呼びます。日本政府は、「エネルギー基本計画」にて、エネルギーミックスの確実な実現を目指すとしています。特定のエネルギーに依存してしまうと、そのエネルギーの調達先における情勢が不安定になったり、関係が悪化した場合、エネルギーの調達ができなくなり、国の経済活動が停止してしまいます。特定のエネルギー価格が上がってしまった場合や、環境負荷が大きい場合なども、他のエネルギーを組み合わせて利用していれば、その変動幅を小さく抑えることができます。日本のようなエネルギーを自給できない国では、特定のエネルギーに依存せず、複数のエネルギーを組み合わせることが非常に重要な方針となります。

FIGURE 29 S+3Eのイメージ

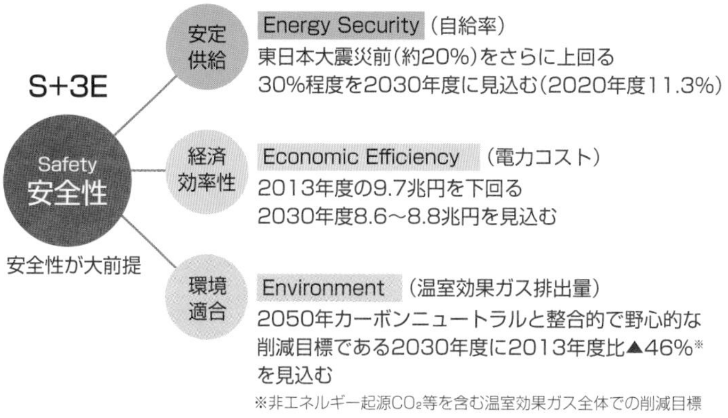

S+3E

Safety
安全性

安全性が大前提

安定供給 — Energy Security（自給率）
東日本大震災前（約20%）をさらに上回る
30%程度を2030年度に見込む（2020年度11.3%）

経済効率性 — Economic Efficiency（電力コスト）
2013年度の9.7兆円を下回る
2030年度8.6〜8.8兆円を見込む

環境適合 — Environment（温室効果ガス排出量）
2050年カーボンニュートラルと整合的で野心的な削減目標である2030年度に2013年度比▲46%※を見込む
※非エネルギー起源CO_2等を含む温室効果ガス全体での削減目標

出典：経済産業省、https://www.enecho.meti.go.jp/about/pamphlet/energy2022/005/#section1

FIGURE 30 各発電方法の特徴

	エネルギーの安定供給	経済性	環境保全	その他メリット	その他課題
水力	△（建設地が少ない）	○	○	―	―
再生可能エネルギー（水力、太陽光等）	×（発電が不安定）	△	○	―	送電線・配電線の容量不足等*
火力	△（資源の安定調達に課題）	△	×	発電量の調整に優れる	―
原子力	○	○	○	―	放射性廃棄物

＊再生可能エネルギーを使った発電設備を増やすには、既存の送電線・配電線では容量が足りないため、容量を増強する必要があります。

出典：関西電力、https://www.kepco.co.jp/energy_supply/energy/nuclear_power/necessity/bestmix.html

再生可能エネルギーの導入による国家の安定

再生可能エネルギーの利点は、各国が独立してエネルギーを確保することができることです。

1 再生可能エネルギーとは

再生可能エネルギーには、**代替エネルギー**、**新エネルギー**、**自然エネルギー**など様々な呼称がありますが、基本的に太陽光、風力、水力、地熱などの枯渇しない自然由来のエネルギーを指します。

再生可能エネルギーは、地域によって差こそあれ、多くの国で無限に利用可能な資源です。化石資源を自給できない国にとって、エネルギー自給の観点で非常に重要なエネルギー源となります。

2 環境に優しいエネルギー

再生可能エネルギーは、基本的にCO_2を排出しないため、環境に優しいエネルギーであるとされています。現在、地球温暖化を中心とした気候変動の影響が深刻になりつつあり、世界では化石燃料を中心とした経済からの脱却が急がれていることもあり、各国が再生可能エネルギーの導入を進めています。

3 エネルギーの安定供給

化石資源を自給できない日本にとって、再生可能エネルギーの導入は安全保障や国家の安定の面でも重要です。現在、石油や天然ガスの輸入量に占める中東の割合は約9割に達しており、中東からのエネルギー供給が止まると、日本経済は大きな打撃を受けます。したがって、中東など他国へのエネルギー依存を減らすため、**クリーンエネルギー戦略**として政府主導での再生可能エネルギーの導入を推進しています。

FIGURE 31 再生可能エネルギーのイメージ

太陽光
バイオマス
風力
地熱
水力

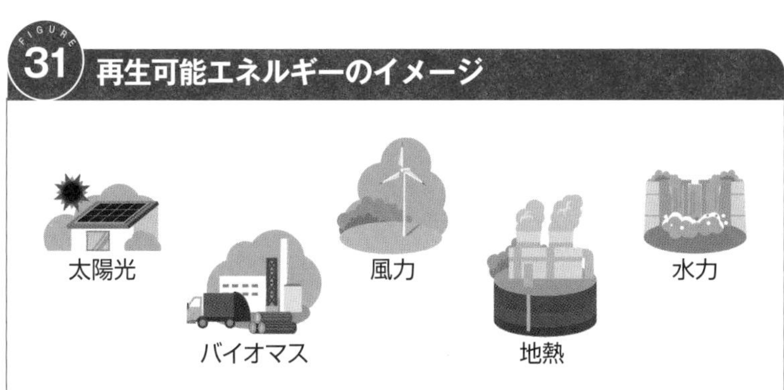

FIGURE 32 クリーンエネルギー戦略

■クリーンエネルギー戦略
・脱炭素を見据え、将来にわたって安定的で安価なエネルギー供給を確保
・供給サイドに加えて、産業など需要サイドの各分野でのエネルギー転換の方策を検討
カーボンニュートラル（CN）の度合い
■エネルギー基本計画
・エネルギーミックス
・供給サイド重視のエネルギー政策
・目標まで10年以下であり、既存技術の活用の必要性等を提示
2030年 46%削減
2050年 カーボンニュートラル
■グリーン成長戦略
・成長につながる14分野
・革新的イノベーションによるカーボンニュートラルの実現
2022
2030
2050
（年）

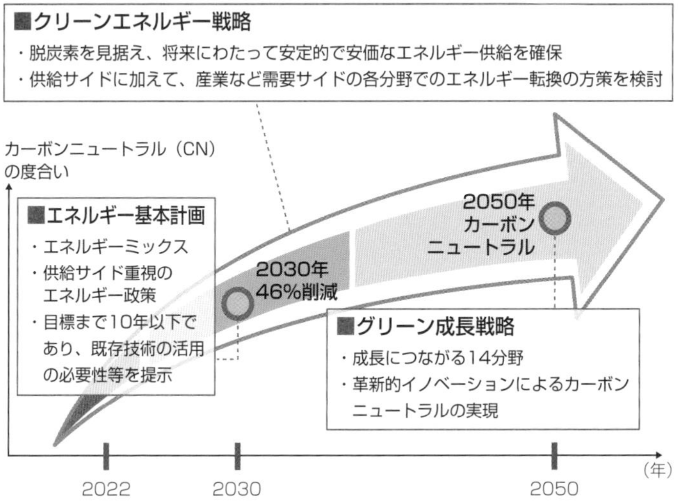

出典：経済産業省、https://www.meti.go.jp/shingikai/enecho/denryoku_gas/saisei_kano/pdf/040_01_00.pdf

地政学的観点で読み解く時事問題

近年の戦争も、地政学的観点で読み解くと、各国のエネルギー戦略が見えてきます。

1 中東情勢

原油は中東地域に偏在しています。その原油を巡って、あるいは石油を武器として歴史上数々の争いが繰り広げられてきました。

世界を2度のオイルショックに陥れた中東戦争では、イスラエルを支持する西側諸国に対し、アラブの産油国が石油を禁輸することで、石油を武器として利用しました。また、2003年にアメリカがイラクへ侵攻したイラク戦争では、アメリカの真の侵攻目的は石油利権の確保であったと言われています。

一方、2021年には、アメリカは20年に渡り駐留を続けてきたアフガニスタンからの撤退を決めました。アフガニスタンは産油国ではありませんが、アメリカの中東における影響力が弱まることにつながります。シェール革命により原油を自給できるようになったアメリカは、莫大なコストをかけてまで中東での影響力を維持しなくとも、エネルギーの安定供給が可能になったためであると考えられています。

2 ロシアのウクライナ侵攻

ロシアは、ウクライナ侵攻に際して自国の持つエネルギーを武器として利用しています。ロシアは原油および天然ガスの埋蔵量が多く、輸出も盛んです。

ヨーロッパ諸国を中心に、ロシアにエネルギーを依存している国も多く、その供給が止まったり、価格が高騰すると、経済は大きな打撃を受けます。エネルギー輸出国は輸入国の命綱を握っており、動きをある程度コントロールできるのです。こうした事情から、ロシアはある程度強気で、ウクライナ侵攻を継続することができています。

FIGURE 33 世界の石油埋蔵量（2021年）

地域	割合
中東	50%
中南米	19%
北米	13%
東欧・ロシア	7%
アフリカ	7%
アジア・太平洋	3%
西欧	1%

FIGURE 34 ロシアとヨーロッパを結ぶ主なパイプライン

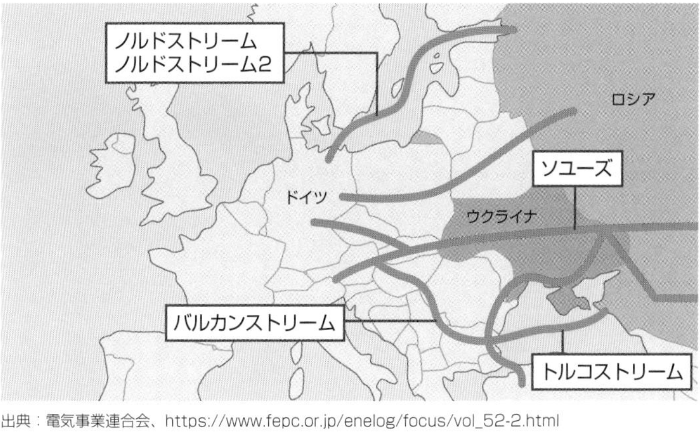

出典：電気事業連合会、https://www.fepc.or.jp/enelog/focus/vol_52-2.html

Column

地理情報（GIS）とエネルギー

エネルギーを考える上で、地図や地理情報は非常に重要な観点です。石油や天然ガスといった化石燃料に代表されるエネルギー資源は偏在しており、常にグローバルでの需要と供給の流れがあります。また、再生可能エネルギーは地形や天候など自然環境に大きく左右されます。多様な自然環境を誇る地球上では、その地域における環境を見極め、適材適所な発電方法を模索する必要があります。

こうした複雑な状況を可視化し、分析する上で重要となるのが地図や地理情報です。どの地域がどのような気候区分で、どのような地形が広がっているか、資源がどこにあり、どこへ輸出されているかなどを地図上に可視化するだけで、非常に面白いエネルギー事情が浮かび上がってきます。

エネルギーの観点で分析された地図を眺めるだけでなく、自分で手を動かして白地図に流れやポイントなどの地理情報を記入してみると、新たな発見ができるかもしれません。

さらに、パソコンを用いてより視覚的に地図情報を分析したい場合は、地理情報システム（GIS*）を利用するのもオススメです。GISでは様々な情報（データ）を地図上に重ね合わせることで、文字や図表では見えにくい傾向などを可視化できます。操作も慣れれば比較的簡単です。ArcGISのような有償GISソフトもあれば、QGISのようなフリーソフトもあるので、いくつか試してみて、ぜひ実践的な学びに挑戦してみてください。

また少しハードルは上がりますが、国内外の発電プラントや、資源の採掘場を実際に訪れてみるのも面白いでしょう。GISを用いてデータを地図上に可視化した上で、各種資源がどのようなところに埋蔵されていて、どのような人がどのようにエネルギーに変換して、最終的にどのように自宅まで届いているのか。こうしたことを自分の目で確かめる経験を1度でもすることで、普段の生活においてもエネルギーに対する感度が各段に上がります。ぜひ実践してみてください。

* **GIS**　Geographic Information Systemの略。

化石エネルギー

ウクライナ侵攻でシェール増産なるか？

化石エネルギーは、18世紀にイギリスで起こった産業革命以降、私たちの生活においてなくてはならないエネルギー源となりました。

一方、なくてはならないエネルギー源であるからこそ、それを巡った争いも起きています。なぜなら、石油や石炭といった化石燃料は、その埋蔵地が特定地域に偏在しており、かつ限りがあるためです。

さらに、化石燃料を燃焼させた際のCO_2は地球温暖化の主要な要因であるとされています。我々の生活になくてはならない化石燃料ですが、化石燃料の利用により我々の生活が持続できない可能性もあるということです。

こうした、欠かすことのできないエネルギー源であるものの、様々な制限もある化石燃料を巡り、各国は多様な策略を打ち出しています。

化石エネルギーの概要

化石エネルギーは、その名の通り化石化した太古の動植物が由来の燃料です。詳しく見ていきましょう。

1 化石エネルギーとは

化石燃料は、その形態により大きく**石炭**、**石油**、**天然ガス**の3つに分類されます。近年では、採掘技術の発展により**シェールオイル・ガス**も主な分類の1つとしてカテゴライズされることもあります。**化石エネルギー**は、主に火力発電のエネルギー源や自動車や工場のエンジンの動力源として、あるいは家庭で暖を取るためなどに利用され、化石燃料と呼ばれます。

2 火力発電の仕組み

火力発電は、化石燃料を燃焼する際に発生する熱を利用して蒸気を発生させ、蒸気の力でタービンを回すことで電気を生み出す発電方法です。

3 火力発電利用のメリット

火力発電は、化石燃料さえあれば安定的に大量のエネルギーを生み出すことが可能であり、**エネルギー変換効率**も高いです。また、天候や時間帯に左右されることもありません。こうした安定性から、経済産業省によって**ベースロード電源**として定義されています。

FIGURE 35 火力発電の仕組み

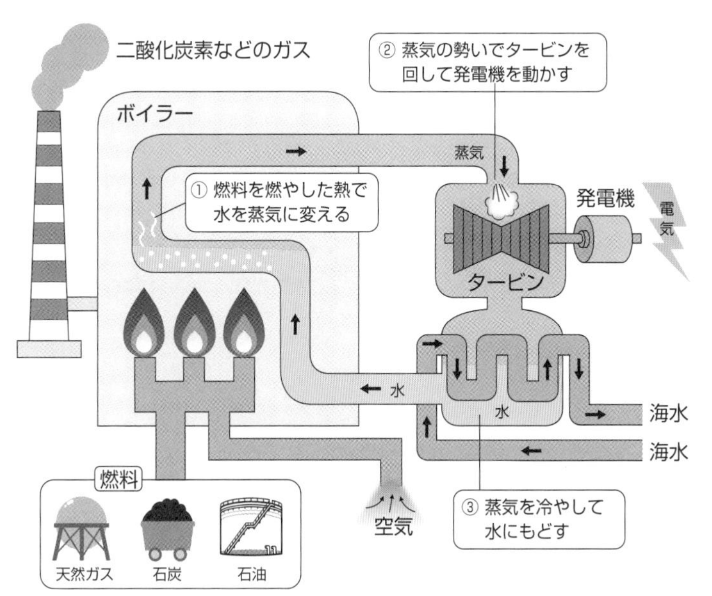

出典：経済産業省、https://www.enecho.meti.go.jp/category/electricity_and_gas/nuclear/001/pamph/manga_denki/html/004/」

4 主力電源としての火力発電

化石燃料を用いた発電は、日本における総発電量の約4分の3を占める、主要なエネルギー源です。一方、日本での化石燃料採掘量はわずかであり、そのほとんどを国外からの輸入に頼っているため、エネルギー源の多角化が急務となっています。

FIGURE 36 電源別発電電力量構成比（2019年度速報値）

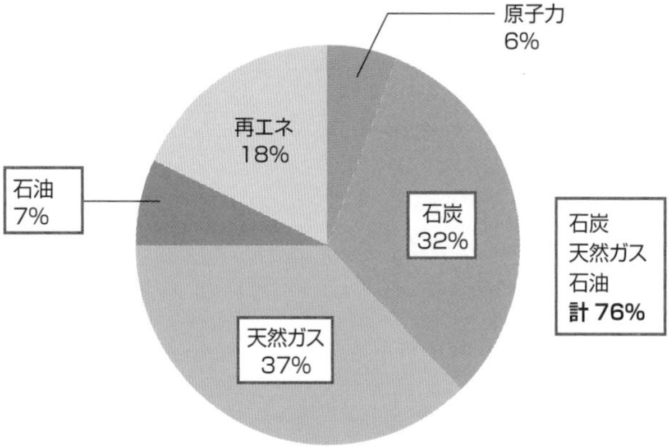

原子力
6%

再エネ
18%

石油
7%

石炭
32%

天然ガス
37%

石炭
天然ガス
石油
計 76%

出典：経済産業省、https://www.meti.go.jp/shingikai/enecho/denryoku_gas/denryoku_gas/pdf/044_05_01.pdf

化石燃料を用いた発電は、
3/4を占めています。

化石エネルギーの導入状況

18世紀、イギリスでの産業革命において、エネルギー源が木炭から石炭に移行し、経済が爆発的に発展しました。

1 石炭とは

太古の昔に堆積した植物が長時間かけて化石化したものが石炭です。石炭には、炭素濃度や用途によって様々な分類があります。用途による分類が私たちにとって最も身近であり、製鉄（コークス）に利用される**原料炭**、火力発電に利用される**一般炭**、練炭に利用される**無煙炭**があります。

2 石炭の生産地と日本の主な輸入先国

石炭の生産量トップは中国で、世界の総生産量の約半分を占めています。一方、成長著しい中国では、そのほとんどを自国で消費しているため、輸出量はごくわずかです。石炭火力発電は窒素酸化物（NOx）や硫黄酸化物（SOx）、そして煤塵などの大気汚染物質を排出するため、石炭火力発電が主力の中国では、長い間大気汚染に悩まされてきました。

日本の主な石炭輸入先国は、オーストラリアやインドネシアです。

3 石炭火力発電のメリット・デメリット

メリットは、石炭火力発電は、他の化石燃料と比較して低コストで発電できます。また、石炭は石油とは異なり、生産地の偏りが比較的小さいため、輸入先地域を多角化することで供給を安定化することができます。

デメリットとしては、他の化石燃料と比較し、CO_2排出量やNOx、SOx、煤塵などの大気汚染物質の排出量が多いことが課題です。

FIGURE 37 石炭の分類

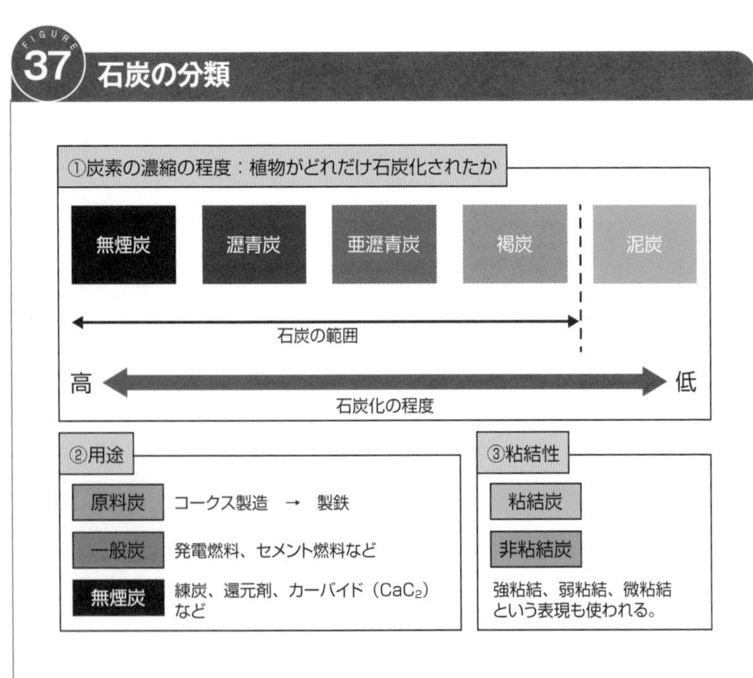

出典：JOGMEC、https://coal.jogmec.go.jp/content/300380902.pdf を基に作成。

FIGURE 38 日本の石炭輸入先国とその割合（2018）

一般炭

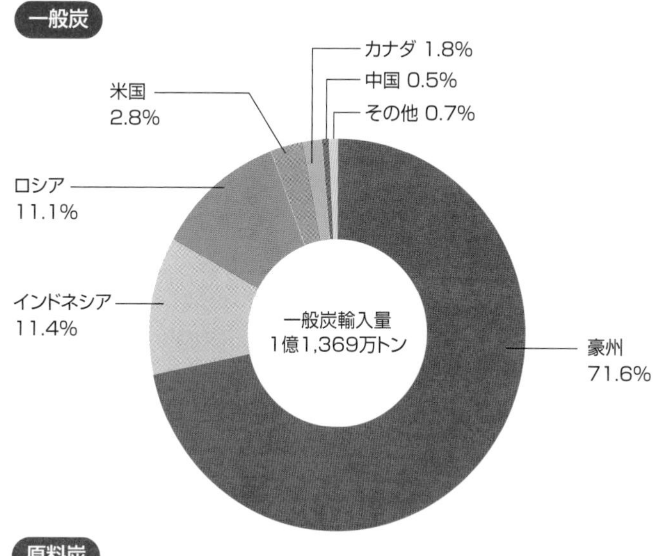

原料炭

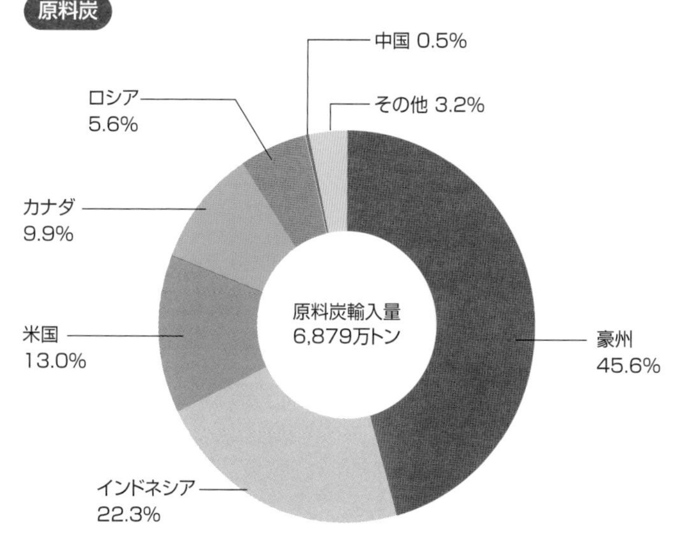

出典：経済産業省、https://www.enecho.meti.go.jp/about/whitepaper/2020html/2-1-3.html

化石エネルギーの導入状況（石油）

私たちの生活において最も身近な化石燃料が石油です。詳しく見ていきましょう。

1 石油とは

石油は、太古の昔に堆積したプランクトンの死がいが化石化したものであると言われています。石油は原油を精製して作られ、沸点の差によって様々な種類の石油製品に分類されます。ガソリンや灯油、軽油、重油、アスファルトが代表的な石油製品です。

2 石油（原油）の生産地と日本の主な輸入先国

石油は中東地域に偏在しているのが特徴です。世界の原油埋蔵量のうち、約半分が中東地域であり、産油国は石油の販売利益**オイルマネー**により、一気に経済発展しました。一方で、石油に依存して経済破綻してしまった国や、石油を求める大国の策略や民族争いに翻弄され、常に戦争・紛争状態に陥ってしまった国もあります。

日本は秋田や新潟に油田を持つものの、ほとんどを海外からの輸入に頼っており、その9割近くを中東からの輸入に依存しています。

3 石油火力発電のメリット・デメリット

最大のメリットは、発電量の調整が比較的容易であることです。天候や時間帯によって発電量の変化する再生可能エネルギーを補う形で、電力需給のバランスを取るために利用されています。

デメリットとしては、埋蔵地域が中東に偏在しているため、中東情勢に大きく影響を受けてしまうことが課題となっています。オイルショックの際には、日本経済が大きな打撃を受けることとなりました。現在では他エネルギーの利用を促すため、新規の石炭火力発電所の建設は原則禁止となっています。

FIGURE 39 原油の精製の仕組みと、できあがる石油製品

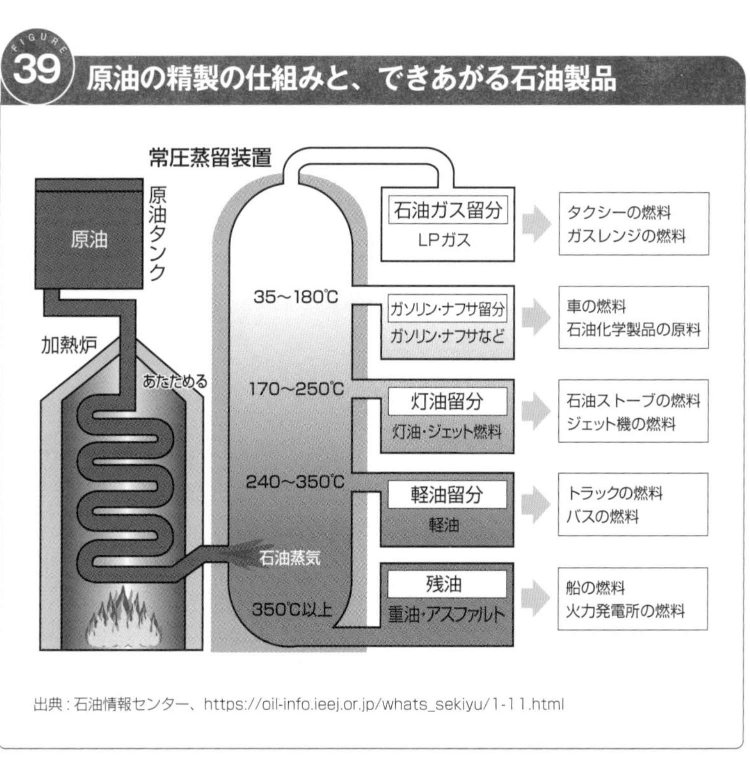

出典：石油情報センター、https://oil-info.ieej.or.jp/whats_sekiyu/1-11.html

FIGURE 40 世界の原油埋蔵量（2017）（約半分が中東に偏在）

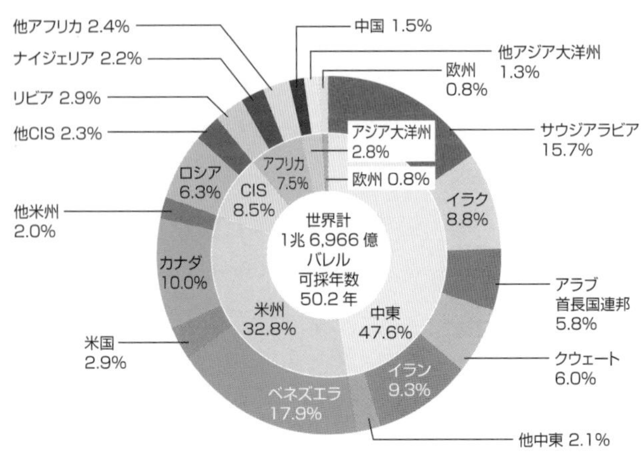

出典：資源エネルギー庁、https://www.enecho.meti.go.jp/about/whitepaper/2019html/2-2-2.html

FIGURE 41 日本の原油輸入先国（2019）

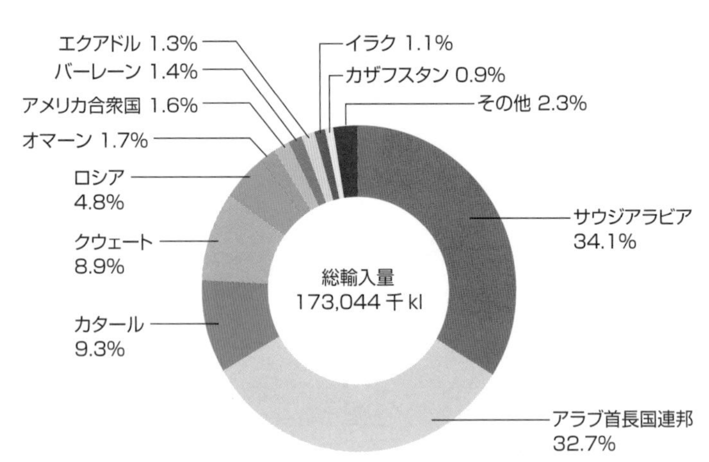

出典：経済産業省、https://www.enecho.meti.go.jp/about/whitepaper/2021/html/2-1-3.html

化石エネルギーの導入状況（天然ガス）

自然界に存在する可燃性のガスを「天然ガス」と呼びます。天然ガスについて詳しく解説していきましょう。

1 天然ガスとは

メタンを主成分とする可燃性のガスで、太古の昔に堆積した動植物の死がいが、地中でガス化したものが**天然ガス**です。気体の状態では扱いが難しいこと、容積が大きいことから、-162℃以下に冷却し液体化したものを扱います。液体にすると容積は気体の600分の1程度まで小さくなり、タンカーでも運べるため、扱いやすさが各段に上がります。一般に、液体化した天然ガスを「液化天然ガス(LNG＊)」と呼びます。

2 天然ガスの生産地と日本の主な輸入先国

天然ガスは、石油と比較すると資源の偏在は小さいですが、世界の確認埋蔵量のうち約4割は中東地域です。石油輸入の約9割を中東に依存している日本は、中東以外の国からLNGを輸入するような政策を取っています。主な輸入先はオーストラリア、マレーシアなど距離的に日本と近い国も多いです。ロシアからの輸入量も比較的多く、日本の総合商社がサハリンでの開発に出資しています。ウクライナ侵攻の影響がどう出てくるか注視していきましょう。

＊ **LNG**　Liquid Natural Gasの略。

3 天然ガス火力発電のメリット・デメリット

メリットとしては、天然ガスは、石油や石炭と比較すると燃焼時の CO_2 排出量が比較的小さいです。また、埋蔵地域が比較的多様で、日本の近隣諸国からも輸入が可能であることがポイントです。

常温で気体であるため、液化するために-162℃以下に冷却する必要があること、および主成分であるメタンが、CO_2 の約28倍の温室効果を持つことがデメリットとして挙げられます。

FIGURE 42 世界の天然ガス埋蔵量

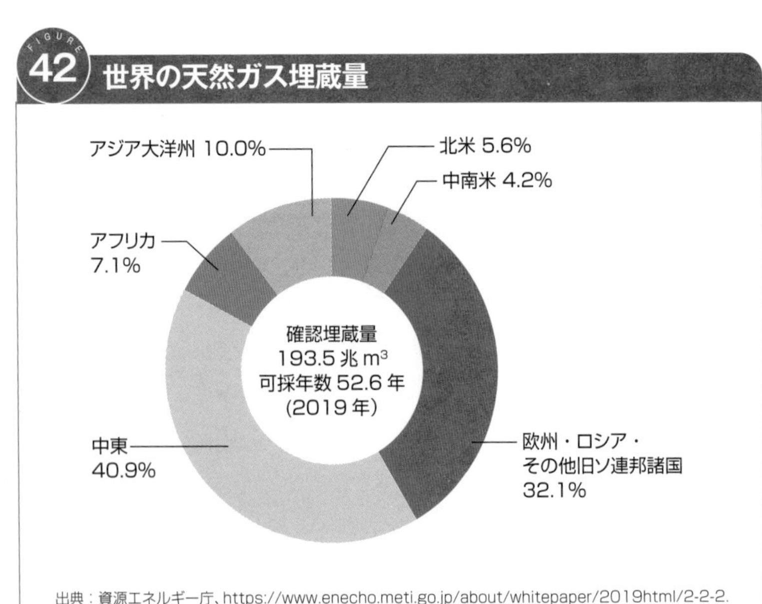

出典：資源エネルギー庁、https://www.enecho.meti.go.jp/about/whitepaper/2019html/2-2-2.html

FIGURE 43 日本のLNG輸入先国（2021）

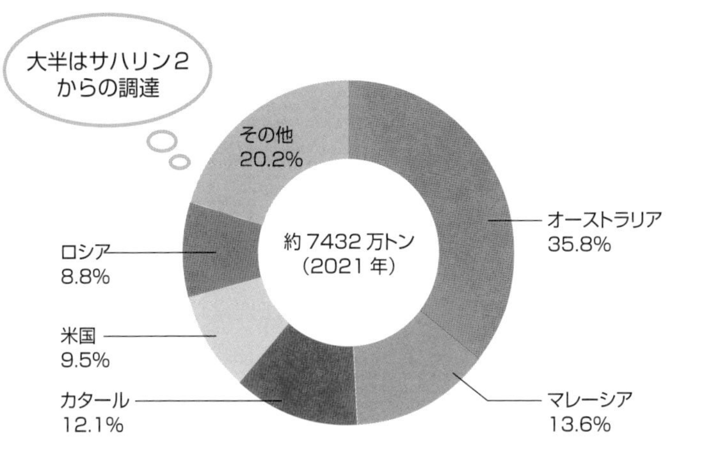

出典：経済産業省、https://www.jiji.com/jc/article？k=2023022000791&g=eco

FIGURE 44 天然ガスの扱い

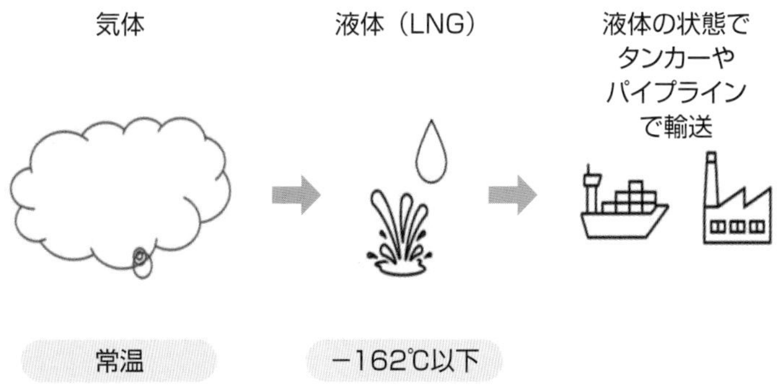

気体

液体（LNG）

液体の状態で
タンカーや
パイプライン
で輸送

常温

−162℃以下

化石エネルギーの導入状況（シェールオイル・ガス）

技術の発展により、以前は利用できなかった資源も、新たなエネルギー源として利用できるようになりました。

1 シェールオイル・ガスとは

頁岩（けつがん）という、剥片状（はくへんじょう）にはがれやすい泥質の岩石をシェール（Shale）と呼びます。シェールガス・シェールオイルは、シェール岩石の隙間に含まれているガスやオイルのことで、他の化石燃料と同様、太古の昔に堆積した動植物が化石化したものであるとされています。

2 シェール革命

シェールオイル・ガスは、以前からその埋蔵が確認されていたものの、技術面およびコスト面から、商業的採掘はほとんど行われていませんでした。一方、2006年以降は**水圧破砕**という、地層中に高圧の水を流し込み、圧力によってガスやオイルを抽出する技術の進展により、シェールオイル・ガスの採掘が急速に進みました。特にアメリカを中心とした北米地域での生産が急増しています。また、原油価格の高騰により、シェールオイル・ガスの価格が相対的に低下したことも急速な開発に拍車をかけています。

3 シェールオイル・ガスのメリット・デメリット

最大のメリットは、埋蔵量が多いことです。シェール革命により今まで開発されてこなかった場所からの採掘が可能になったため、世界各地で新たな開発が期待されます。中東への依存を減らすことができることもメリットです。

デメリットとしては、シェール開発において大量の水や潤滑剤としての化学物質を地中に注入するため、地下水や海底への環境汚染が課題です。

FIGURE 45 従来型の石油採掘と、シェールオイル・ガスの採掘の比較イメージ

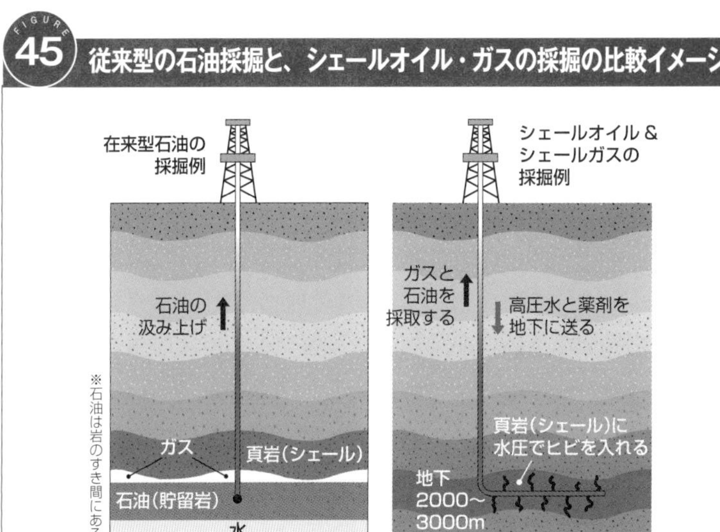

出典：クリッカー、https://clicccar.com/2012/11/14/204851/

FIGURE 46 米国のシェールオイル生産量

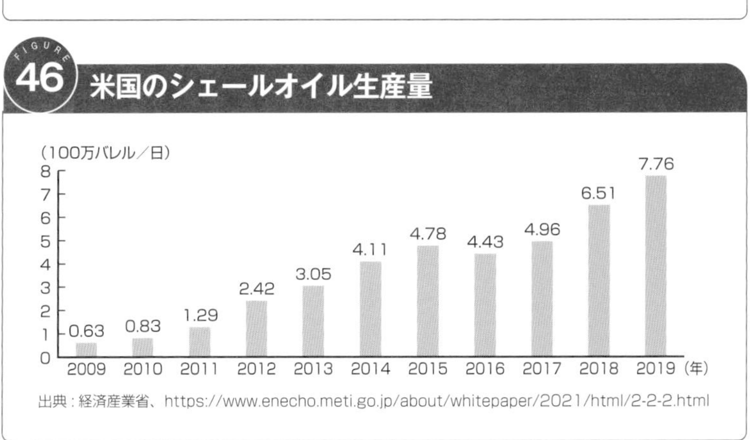

出典：経済産業省、https://www.enecho.meti.go.jp/about/whitepaper/2021/html/2-2-2.html

化石エネルギーを巡る世界の動向（日本）

化石燃料を持たない日本においても、脱炭素という世界的なトレンドを受け、化石燃料を規制する動きが出ています。

1 日本

化石資源を持たない日本は、ほぼ全量を海外からの輸入に依存しています。海外情勢に大きく影響を受けてしまうため、原発の導入により海外への依存を減らす政策を取っていました。しかし、2011年の福島第一原発事故により、原発への規制が強まったことから、再び火力発電への依存が高まっています。こうした状況から脱却するため、定期的に「エネルギー基本計画」を見直し、再生可能エネルギーの導入など確実なエネルギーミックス実現を目指すと共に、資源外交を強化するとしています。

また、中東への化石燃料依存からの脱却のため、日本の総合商社を中心に、ロシア・サハリンでのLNG開発プロジェクト**サハリン2**を推進していました。ロシアのウクライナ侵攻に伴い、多くの国がロシアでの開発から撤退しましたが、エネルギーの安定供給の観点から、日本はサハリンでの開発を継続しています。

日本の火力発電における発電量を燃料別に見ると、石炭による発電が約半数となっています。石炭は中東に依存する必要がないため、安全保障の観点で石炭の利用は理にかなっています。一方、石炭火力発電によるCO_2排出量は、石油や天然ガスと比較して大きく、2050年カーボンニュートラル実現に向け、大きな障壁となっています。

47 日本の電源別発電量の推移

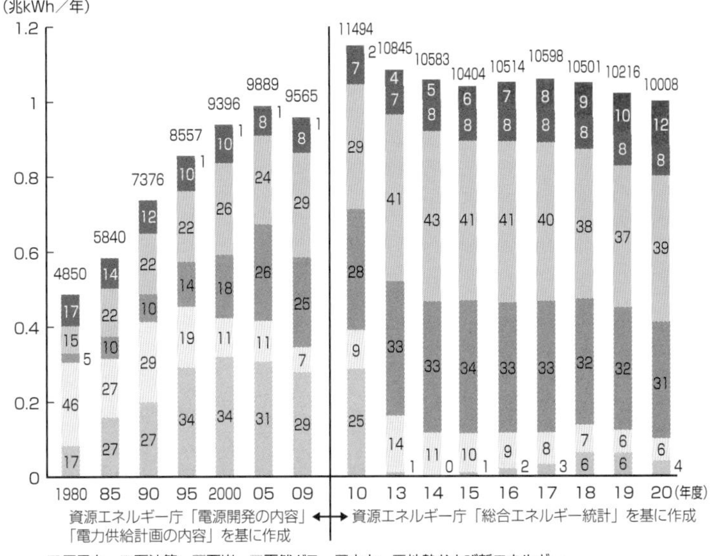

原子力　石油等　石炭　天然ガス　水力　地熱および新エネルギー

注：1）石油等にはLPG、その他ガスおよび瀝青質混合物を含む
　　2）四捨五入の関係で合計値が合わない場合がある
　　3）グラフ内の数値は構成比（%）

出典：電気事業連合会、https://www.ene100.jp/www/wp-content/uploads/zumen/1-2-7.jpg

48 燃料別の火力発電量とその割合

	石炭	液化天然ガス	石油	その他火力
発電量	23,911,563	20,865,315	1,000,666	4,889,148
割合	47.2%	41.2%	2.0%	9.6%

＊単位:1,000kWh　＊2021年9月時点

出典：https://media.kepco.co.jp/_ct/17522890

化石エネルギーを巡る世界の動向（欧米）

欧米諸国には産油国もありますが、中東やロシアへ依存している国も多くあります。

1 アメリカ

シェール革命により、自国で化石燃料を調達できるようになったアメリカでは、エネルギー自給率が高まっており、原油生産量もサウジアラビアを抜いて世界最大です。トランプ政権は気候変動に関する国際的枠組みであるパリ協定からの離脱を表明しましたが、国内で自給できるようになったシェール産業への配慮もあったと考えられています。

バイデン政権に移行し、パリ協定へ復帰したアメリカでは、2050年のカーボンニュートラル実現に向け、国有地でのシェールオイル・ガスの開発を制限することを公約としています。ただし、ロシアのウクライナ侵攻による影響から、国内のシェール産業の衰退がアメリカ経済の安定を脅かす可能性があり、その動向が注目されています。

2 EU・ヨーロッパ

ヨーロッパ諸国は環境意識が高く、化石燃料への規制を強める傾向にあります。一方、再生可能エネルギーの不安定さや、ロシアのウクライナ侵攻の影響から、環境負荷の大きい石炭火力発電に対する規制を緩めるなどの動きも出ています。

また、ドイツなど資源の少ない国はロシアへのエネルギー依存率が高いものの、イギリスやノルウェーなどの産油国はエネルギー自給率が高い状況にあります。こうした産油国は、他国に依存せずとも経済を安定させることができるため、EUに加盟していないという特徴があります。

FIGURE 49 石炭火力発電に関する各国の方針

国名	石炭火力に関する各国方針
イギリス	2024年10月までに全廃
フランス	2022年までに全廃
ドイツ	石炭火力の段階的廃止完了時期を2038年から2030年に前倒しする計画。
イタリア	2025年までに全廃
ギリシャ	2028年までに全廃
オランダ	2030年までに全廃
アメリカ	「パリ協定」に復帰。2035年までの発電部門のCO_2排出ゼロに、及び2050年までのGHG実質ゼロを国家目標に設定。炭素集中型の化石燃料ベースのエネルギープロジェクトに対する国際的な投資及び支援の停止に向け努力する方針。(2021年4月)

出典：経済産業省、https://www.meti.go.jp/shingikai/enecho/denryoku_gas/denryoku_gas/pdf/059_07_00.pdf

ウクライナ侵攻による
アメリカへの影響に注目です。

化石エネルギーを巡る世界の動向（中国・ロシア）

世界の化石エネルギー事情を語る上で、中国およびロシアも欠かせません。

1 中国

中国はアメリカに次ぐ世界第2位の石油消費国であり、石油輸入量は世界トップです。経済成長に伴い年々輸入量は増加しています。現代のシルクロードである**「一帯一路」構想**を公表し、中国と各地を結ぶネットワークを作ろうと目論む中国は、中東との物流を陸路で開通させることにより、石油の安定供給を実現しようとしています。これにより、地政学的なチョークポイントとなる、**ホルムズ海峡**や**マラッカ海峡**を通ることなく石油を調達することができます。

また、ミャンマーと雲南省を結ぶパイプラインも完成させ、中東からの海路で運ばれてきた石油をミャンマーの港から陸路で輸送するルートも確保しました。これは、アメリカの影響力の強いマラッカ海峡が封鎖された場合に備えた政略と言われています。

2 ロシア

世界最大の天然ガス埋蔵国であり、石油の埋蔵量も世界第6位と資源に恵まれています。豊富な資源を巧みに活用した外交政策を展開するロシアは、**ノルドストリーム**と呼ばれる天然ガスパイプラインをドイツまで伸ばすなど、ヨーロッパへの影響力を強めています。

＊ **「一帯一路」構想**　2013年から中国が提唱する、中国と中央アジア、中東、ヨーロッパ、アフリカにかけての広域経済圏の構想。

自国で採掘可能な化石燃料の少ないドイツやイタリアは、ロシアからの化石燃料輸入に依存しています。ロシアのウクライナ侵攻を受けた制裁の一環として、あるいはエネルギーのロシア依存度を下げるため、2027年までにロシアからのエネルギー輸入を全面的に停止する方針を打ち出しているものの、ロシア依存度の高い国は、経済発展に影響が出るとして反対しています。ドイツは新たなパイプラインである**ノルドストリーム2**の承認を遅らせせることを公表したものの、ロシアからのエネルギー輸入は継続しています。

FIGURE 50 一帯一路のイメージ

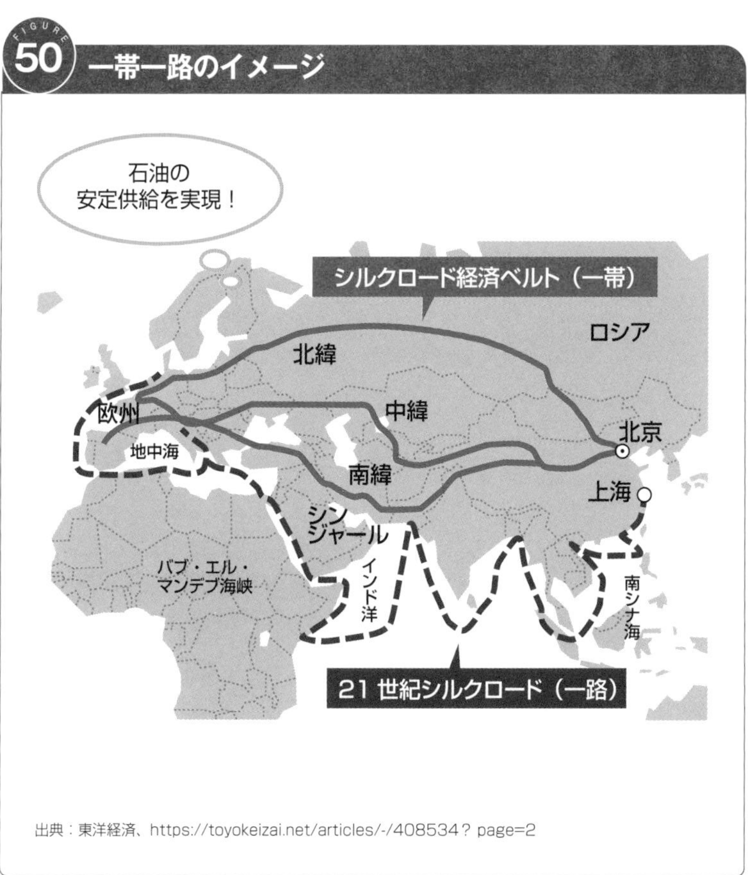

出典：東洋経済、https://toyokeizai.net/articles/-/408534？page=2

G7各国のエネルギー自給率とロシア依存度（2020）

国名	1次エネルギー自給率（2020年）	ロシアへの依存度（輸入量におけるロシアの割合）（2020年）＊日本の数値は財務省貿易統計2021年		
		石油	天然ガス	石炭
日本	11%（石油：0%、ガス：3%、石炭：0%）	4%（シェア5位）	9%（シェア5位）	11%（シェア3位）
イタリア	25%（石油：13%、ガス：6%、石炭：0%）	11%（シェア4位）	31%（シェア1位）	56%（シェア1位）
ドイツ	35%（石油：3%、ガス：5%、石炭：54%）	34%（シェア1位）	43%（シェア1位）	48%（シェア1位）
フランス	55%（石油：1%、ガス：0%、石炭：5%）	0%	27%（シェア2位）	29%（シェア2位）
英国	75%（石油：101%、ガス：53%、石炭：20%）	11%（シェア3位）	5%（シェア4位）	36%（シェア1位）
米国	106%（石油：103% ガス：110% 石炭：115%）	1%	0%	0%
カナダ	179%（石油：276% ガス：13% 石炭：232%）	0%	0%	0%

出典：経済産業省、https://www.meti.go.jp/shingikai/enecho/shigen_nenryo/sekiyu_gas/pdf/019_03_00.pdf

Column

仮想通貨の利用が地球温暖化につながる？

ビットコインに代表される仮想通貨（暗号資産）は、高騰する度に大きく話題になります。近年では仮想通貨を所有している人も増えてきました。中米に位置するエルサルバドルでは、ビットコインが法定通貨化されたことでも話題になりました。ブロックチェーン上で銀行などを通さずに資産をやり取りすることのできる仮想通貨は、非中央集権であるとされており、今後の利用拡大が大きく期待されています。

一方、仮想通貨の利用には、多大なエネルギーを必要とすることをご存じでしょうか？ 仮想通貨は、その全取引がブロックチェーン上に記録されており、アルゴリズム計算を通じて取引プロセスの検証を行います。そのアルゴリズムの計算において、多大な電力を消費します。その取引の検証を早く終えた者に対し、報酬として仮想通貨が支払われるため、各人は高性能なコンピューターを利用し、ガンガン電力を消費して競争します。その検証作業を「マイニング」、マイニングをする人のことを「マイナー」と呼びます。

マイニングに大量の電力を消費するため、電力の安い地域にマイナーは集まります。例えば北欧アイスランドは、水力と地熱を中心に、100%を再生可能エネルギーで賄う島国です。電力価格も安く、電力消費の大きいデータセンターなどを積極的に誘致してきました。マイナーも集積しつつあり、一般家庭での電力利用よりも、マイニングでの電力利用の方が大きい状態です。

近年では、検証アルゴリズムの変更による電力消費量の削減や、再生可能エネルギーのみを利用したマイニング、夜間の余剰電力を利用したマイニングなど、環境負荷を小さくする方法も実践されています。エネルギー関連の課題を乗り越えることで、様々な可能性を持つ仮想通貨のさらなる発展に期待ですね。

MEMO

原子力エネルギー

脱原発時代、安心安全な新技術に期待？

原子力発電の開発により、我々は安定的に大量のエネルギーを得ることができるようになりました。自国での化石燃料採掘に期待できない国では、エネルギーの安定確保や安全保障の観点から、こぞって原発導入を進めました。さらに、原発は運転時にCO_2を排出しないという点でも、時代の潮流に乗ったエネルギー源であるとされていました。

一方、チェルノブイリや福島での原発事故を受け、原発の課題が改めて浮き彫りになってきました。原発から放出された放射性物質により汚染された地域は、現在でも周辺に人が立ち入ることすらできない状態です。

こうした状況を受け、脱原発に舵を切った国もあれば、経済発展・安全保障のために原発の維持、あるいは増設を決めた国もあります。各国のエネルギー戦略が色濃く出ている原子力エネルギーについて、その仕組みから学んでいきましょう。

原子力エネルギーの概要

原子力発電によって生み出されるエネルギーを、原子力エネルギーと呼びます。原子核が分裂する際に発生したエネルギー（熱）を利用します。近年では、原子核が融合した際に放出されるエネルギーを利用した発電方法も研究開発が進められています。

1 原子力発電の仕組み

原子力発電の仕組みは、エネルギー源以外は火力発電と同様です。化石燃料を燃焼させて熱を得る火力発電に対し、原子力発電ではウランが核分裂した際に発生した熱を利用します。水を熱して蒸気を作り、タービンを回すことで発電します。

原子力発電には、ウランの放射性同位体であるウラン235を用います。ウラン235を濃縮して固め、燃料棒として原子炉の中に組み込んだ上で、炉内で燃料棒に中性子を当てます。すると、ウラン235が核分裂し、熱エネルギーを放出すると共に、さらなる中性子を放出します。この反応の繰り返しにより、膨大な熱エネルギーを生み出すことができます。これを連鎖反応と呼びます。連鎖反応は適切なコントロールが必要で、制御を失うと事故につながります。

2 原子力発電利用のメリット

原子力発電の最大のメリットは、CO_2を排出しないことです。適切なコントロール下にあれば、運転時に有害物質を排出することはありません。

また、長期的な観点で見ると、他の発電方法と比較してコストが低いとされています。発電コストに占める燃料費の割合も、火力発電と比較して低く、ウラン価格が上昇したとしても、発電コストへの影響は小さく抑えられ、電力コストの引き下げにも貢献しています。エネルギーの安定供給の観点では、資源を持たない国にとって重要なエネルギー源となり得ます。

FIGURE 52 原子力発電の仕組み

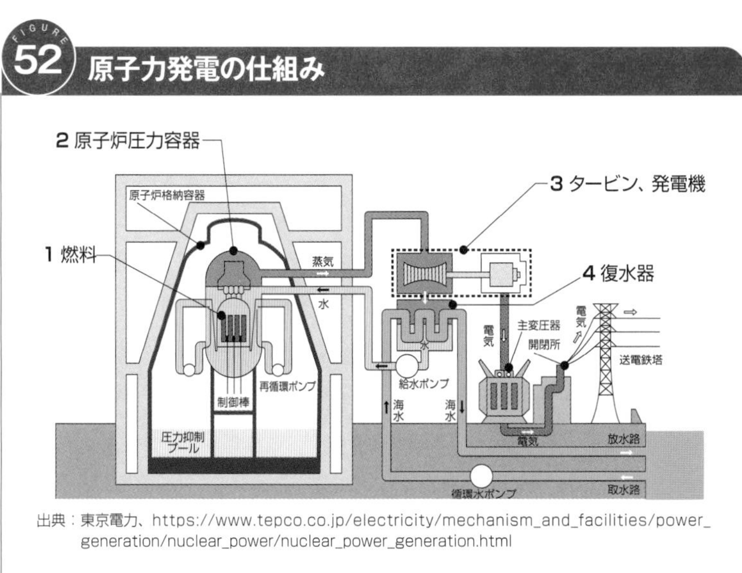

出典：東京電力、https://www.tepco.co.jp/electricity/mechanism_and_facilities/power_generation/nuclear_power/nuclear_power_generation.html

FIGURE 53 核分裂の仕組み

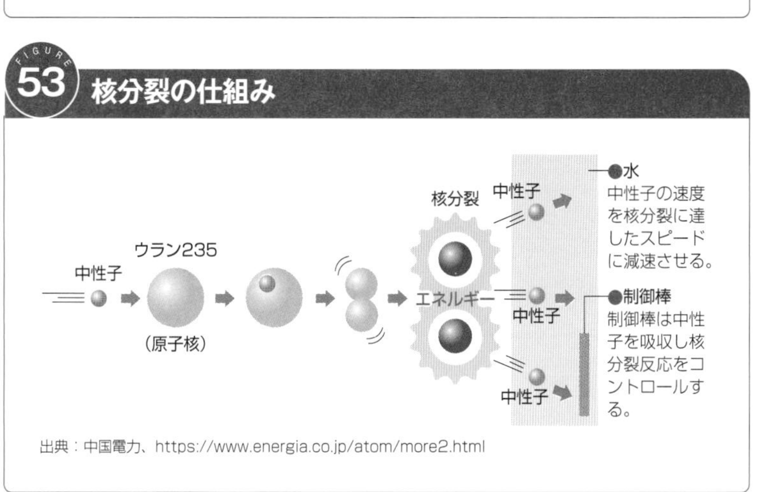

出典：中国電力、https://www.energia.co.jp/atom/more2.html

原子力エネルギーの導入状況

チェルノブイリや福島での原発事故を受け、原子力発電を廃止する国も出てきています。今の世界の状況を解説していきましょう。

1 原子力発電の導入状況

原子力発電が初めて導入された1950年代以降、原子力による発電量は増え続けています。特に、オイルショックによるエネルギー不足に直面した先進国において導入量が増え続け、1990年代までの発電量は右肩上がりとなりました。一方、2011年の東日本大震災による福島第一原発事故を受け、日本における原子力発電量は大幅に減少しました。現在、日本では新たな基準を設け、安全性が確認できた原発のみ再稼働が認められています。

2 原子力発電のポテンシャル

原発は、運転時にCO_2を発生させないため、カーボンニュートラルの実現のための重要なエネルギー源であるとされています。また化石燃料と比較すると、ウランの特定地域への偏在は小さいことから、安全保障の面でもなくてはならないエネルギー源です。

日本国内では、東日本大震災の影響で原発の稼働率が大幅に減少しているものの、放射性廃棄物の適切な処分方法は定まっておらず、青森県の六ケ所村に保管されています。したがって、廃炉したとしても、放射性廃棄物は残り続けます。これらの事情を踏まえ、安全性向上のため最大限投資しつつ既存原発をできる限り活用すると同時に、放射性廃棄物の処分方法を研究開発することが求められます。

再稼働したプラントにおける、2020年度の設備利用率は約50%です。日本政府は、原子力規制委員会の立ち合いの下、既存の原発を最大限活用すると共に、長期運転の取り組みを進めています。

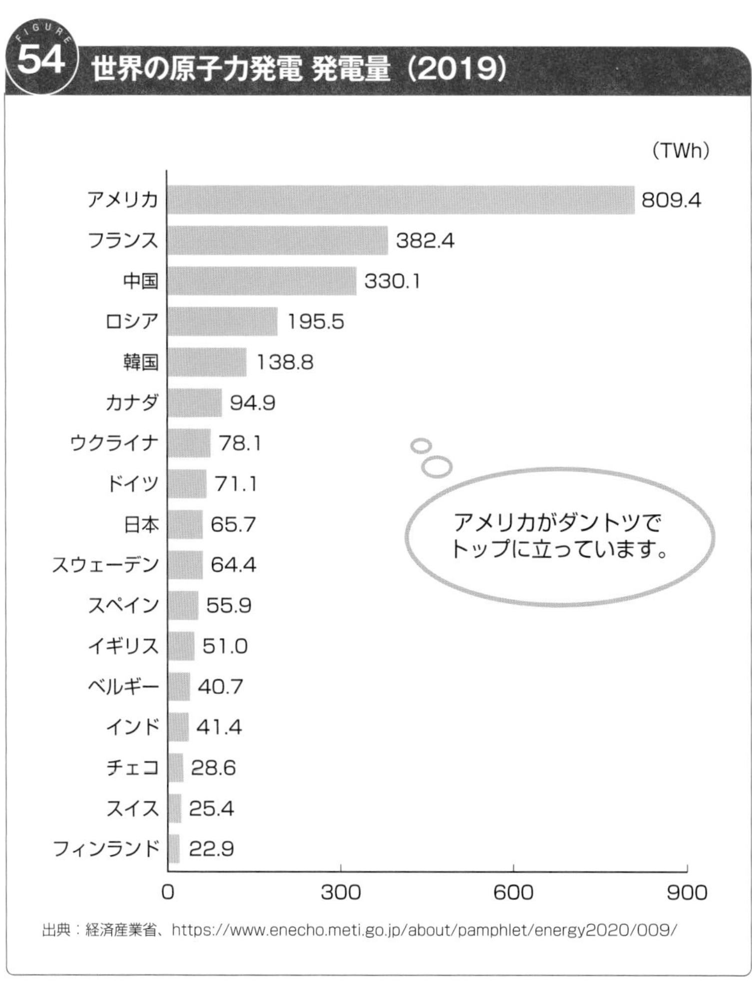

FIGURE 54 世界の原子力発電 発電量（2019）

出典：経済産業省、https://www.enecho.meti.go.jp/about/pamphlet/energy2020/009/

FIGURE 55 世界の原子力発電電力量の推移（地域別）

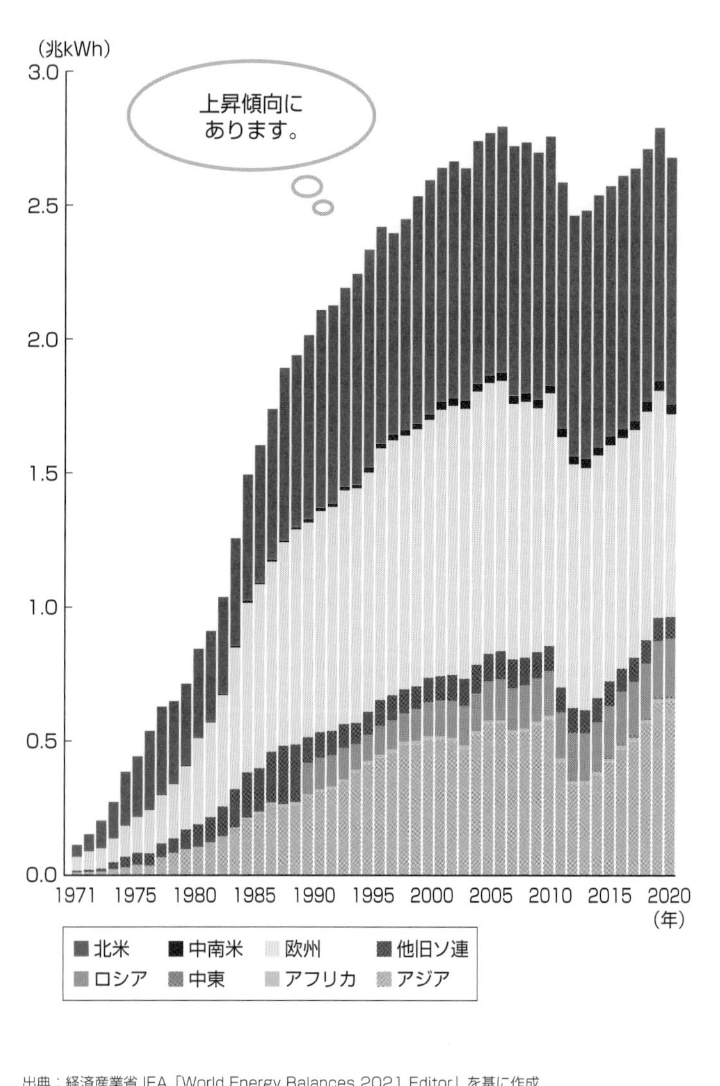

出典：経済産業省 IEA「World Energy Balances 2021 Editor」を基に作成

原子力の問題と課題

ブルントラントによる「持続可能な開発」の定義は「将来の世代のニーズを満たす能力を損なうことなく、今日の世代のニーズを満たすような開発」です。放射性廃棄物の適切な処分方法が定まっていない中での原発運用は、将来世代のニーズを損ない得る状況です。

1 放射性廃棄物の処分方法

放射性廃棄物は、放射能レベルに応じていくつかに分類されます。原子力発電所の運転に際して発生する**低レベル放射性廃棄物**や、使用済みの核燃料などの**高レベル放射性廃棄物**に大別でき、レベルに応じて処理方法が異なります。

基本的には、放射能レベルの高い廃棄物ほど、厳重なバリアを付与した上で、より深い地中・海中に埋め込みます。地下300mより深い地中に埋める処分方法は**地層処分**と呼ばれ、高レベル放射性廃棄物は基本的に地層処分が必要となります。

私たちの生活や自然環境に影響を及ぼさないよう、放射性廃棄物の処分場所は適切に選ばなくてはなりません。現在、原発の運用が開始して何年も経っているのにも関わらず、その最終処分地が定まっていない国がほとんどです。日本も調査段階にあり、実際に処分が始まるのはまだまだ先になりそうです。

放射性廃棄物の種類とその処分方法

<table>
<tr><th>発生源</th><th colspan="3">廃棄物の種類</th></tr>
<tr><td rowspan="3">原子力発電所</td><td rowspan="5">低レベル放射性廃棄物</td><td rowspan="3">発電所廃棄物</td><td>放射能レベルの極めて低い廃棄物</td></tr>
<tr><td>放射能レベルの比較的低い廃棄物</td></tr>
<tr><td>放射能レベルの比較的高い廃棄物</td></tr>
<tr><td>ウラン濃縮・燃料加工施設</td><td colspan="2">ウラン廃棄物</td></tr>
<tr><td>MOX燃料*加工施設</td><td colspan="2">超ウラン核種を含む放射性廃棄物（TRU廃棄物）*</td></tr>
<tr><td>再処理施設</td><td colspan="3">高レベル放射性廃棄物</td></tr>
</table>

＊ MOX燃料：Mixed Oxideの略。ウラン・プルトニウム混合酸化物のこと。
＊ TRU廃棄物：TRans-Uranic wasteの略。使用済核燃料の再処理過程で発生する放射性廃棄物のこと。

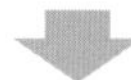

処分方法

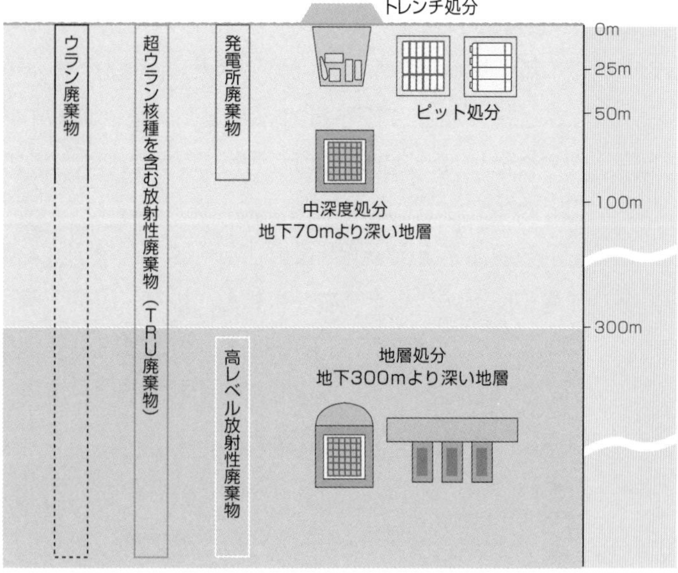

出典：関西電力、https://www.kepco.co.jp/energy_supply/energy/nuclear_power/whats/haikibutsu.html 原子力・エネルギー図面集2017

2 ウランの偏在

ウランは化石燃料の中東依存と比較すると、その偏在は小さいと言えます。ただし、埋蔵量上位3か国（オーストラリア、カザフスタン、カナダ）で過半数を占めるため、供給先の多様化が求められます。日本政府はそれぞれの供給国と長期契約を結ぶことで、安定供給を実現しています。

FIGURE 57 地層処分の進捗（2022）

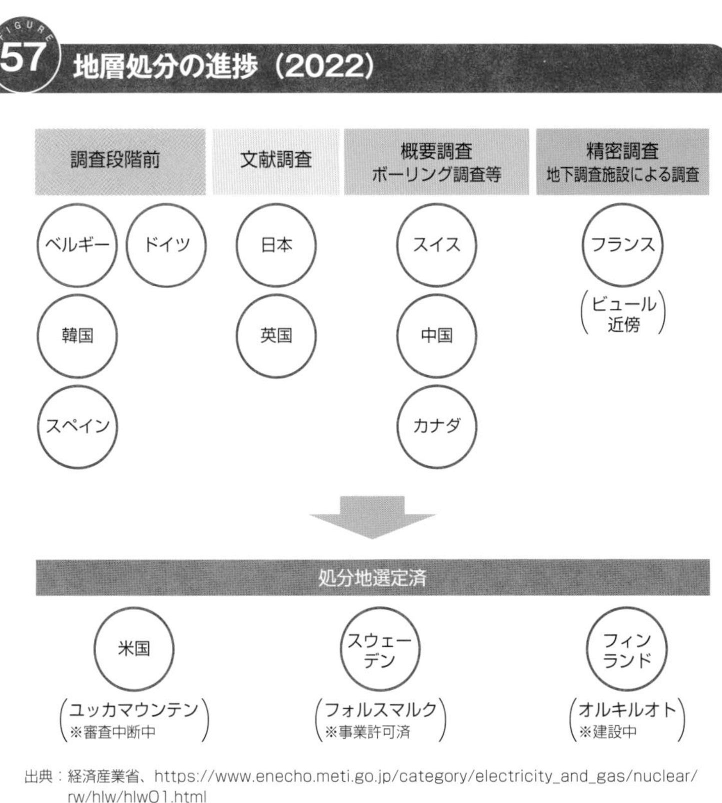

出典：経済産業省、https://www.enecho.meti.go.jp/category/electricity_and_gas/nuclear/rw/hlw/hlw01.html

原子力事故事例

原発事故とは主に放射性物質が原発施設外へ漏洩することを指します。

1 チェルノブイリ原発事故

1986年4月26日、ソ連のチェルノブイリ（現･ウクライナの**チョルノービリ**）にて発生した原子力事故です。国際原子力事象評価尺度では、最高レベルのレベル7に該当します。

原因は諸説ありますが、発電実験中の人為的ミスにより原子炉が暴走・爆発したと考えられています。大量の放射性物質が大気中に放出され、ヨーロッパ各国や日本においても放射性物質が観測されました。当初、ソ連は事故の情報を隠蔽しており、この姿勢は各国から批判を浴びました。原発から半径30km以内の住民は強制移住させられ、現在でも立入禁止区域とされています。

2 福島第一原発事故

2011年3月11日、東日本大震災による地震および津波によって発生した原発事故です。チェルノブイリ原発事故と同様、最高位のレベル7の事故であり、これまで発生したレベル7の事故はチェルノブイリと福島の2つのみです。

地震、津波による停電、および多数の設備損傷により核燃料の冷却ができなくなり、膨大な熱によって炉心溶融（メルトダウン）が発生しました。結果として水素爆発を引き起こし、大量の放射性物質が放出されました。放射線汚染地域の除染が進められていますが、現在でも周辺への立入や居住は禁止・制限されています。

FIGURE 58 国際原子力事象評価尺度

		レベル		
異常事象・事故の深刻度	事故	7	深刻な事故	チェルノブイリ原発事故（1986）（520京（5,200,000兆）ベクレル）
			広範囲におよぶ健康と環境への影響を伴った放射性物質の深刻な放出（計画的、広域封鎖が必要）	東京電力福島第一原子力発電所事故（2011）（77京（770,000兆）ベクレル）
		6	重大な事故	キチュテム惨事（1957）
			計画的な封鎖が必要となる相当量の放射性物質の放出	
		5	広範囲への影響を伴う事故	チョークリバー原子炉事故（1952） ウィンズケール火災（1957） スリーマイル島原発事故（1979） 等
			計画的封鎖が必要な限られた量の放射性物質の放出	
		4	局地的な影響を伴う事故	SL-1核反応炉事故（1961） 東海村JCO臨界事故（1999） セラフィールド事故（1979）等
			地域の食品制限以外には計画的封鎖等を必要としない軽微な放射性物質の放出	
	異常事象	3	重大な異常事象	
			従事者が年間許容量の10倍を被ばく/放射線からの非致死の確定的影響	
		2	異常事象	
			10mSvを超える公衆の被ばく/放射線作業従事者の被ばく限度（1年間）超過	
		1	逸脱	
			年間許容量の超過に伴う被ばく	
		0	尺度未満	
			安全上の問題がない	

＊京ベクレル＝10^{16}Bq

出典：原子力安全に関するIAEA閣僚会議に対する日本国政府の報告書（2011年6月）より作成

新たな原子力

原子力事故や脱原発の流れを受け、大学の原発関連学部の人気が下がっていると言われていますが、新技術によるイノベーションも起きつつあります。

1 小型原子炉

現在、小型の原子炉として、**小型モジュール炉**（SMR*）の開発が進められています。モジュールとは、部品の集合体のことを指し、規格化されたモジュールを組み合わせるだけで建設が可能です。シンプルな構造で、建設期間も短く、メンテナンスも容易であるというメリットがあります。

また、小型であるが故に、熱を逃がしやすいという特徴があります。つまり、突き詰めれば、冷却水を使わずとも自然に冷える原発も実現可能であると言われています。低コストで安全性の高い小型原子炉が実用化されると、カーボンニュートラルだけでなく、エネルギーの安定供給の観点でも非常に重要な電源の1つとなるでしょう。

2 核融合エネルギーの利用

通常の原子力発電は、核分裂のエネルギーを利用した発電方法です。一方、核融合時に発生するエネルギーを利用した発電方法の開発が進められています。太陽や恒星の輝きも核融合反応によるものです。

＊ SMR　Small Moduler Reactor の略。

核融合では、軽い原子核同士が融合し別の種類の原子核に変化します。その際に発生するエネルギーを利用する発電方法が核融合発電です。核融合反応は CO_2や大気汚染物質を放出せず、核分裂と比較して放射性物質の排出量も各段に小さいため、その開発が期待されています。現在、フランスにて **ITER**（イーター）*と呼ばれる核融合炉の建設が進められており、日本もその技術開発に協力しています。

FIGURE 59 核融合と核反応のイメージ

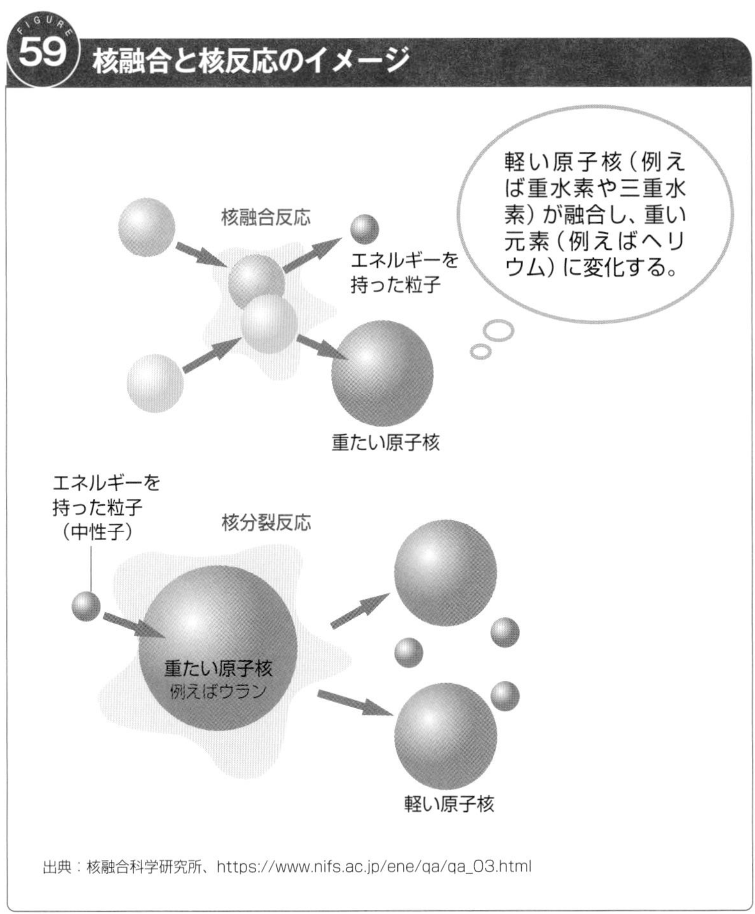

出典：核融合科学研究所、https://www.nifs.ac.jp/ene/qa/qa_03.html

＊ ITER　イーター。ラテン語の「道」が語源とされます。

原子力エネルギーを巡る世界の動向（日本）

福島第一原発事故の影響で、日本の原発戦略は大きく変化しました。最新の動向を紹介しましょう。

1 日本

日本は化石燃料を自給できないため、エネルギーの安定供給実現のため原発を積極的に導入してきました。一方、2011年に発生した福島第一原発事故の影響により、その多くが稼働を停止し、現在では安全性を確認できた原発のみ再稼働しており、2022年現在稼働中の原発は10基のみです。

化石燃料を自給できない日本では、中東にエネルギー源を依存しており、日本経済は中東情勢に大きく影響を受けてしまいます。したがって、再生可能エネルギーの導入を進めていますが、まだまだ導入量は小さく、また安定性がないため、ベースロード電源としては利用できません。

日本政府はこうした現状を踏まえ、安全性を担保できた既存原発の再稼働、および稼働中原発の稼働率増加、そして運転期間の長期化を目指しています。2050年カーボンニュートラル実現に向けても、原子力はCO_2を排出しない主力電源として位置づけられています。

また、高レベル放射性廃棄物の処分方法·最終処分地の定まっていない日本では、核燃料サイクルを推進しています。使用済み核燃料を再処理し、ウランやプルトニウムを再利用することで、放射性廃棄物の発生量を抑えてます。日本国内でウランを自給できないことからも、ウランやプルトニウムの再利用は重要なエネルギー政策と言えるでしょう。

FIGURE 60 日本の電源別発電量の推移

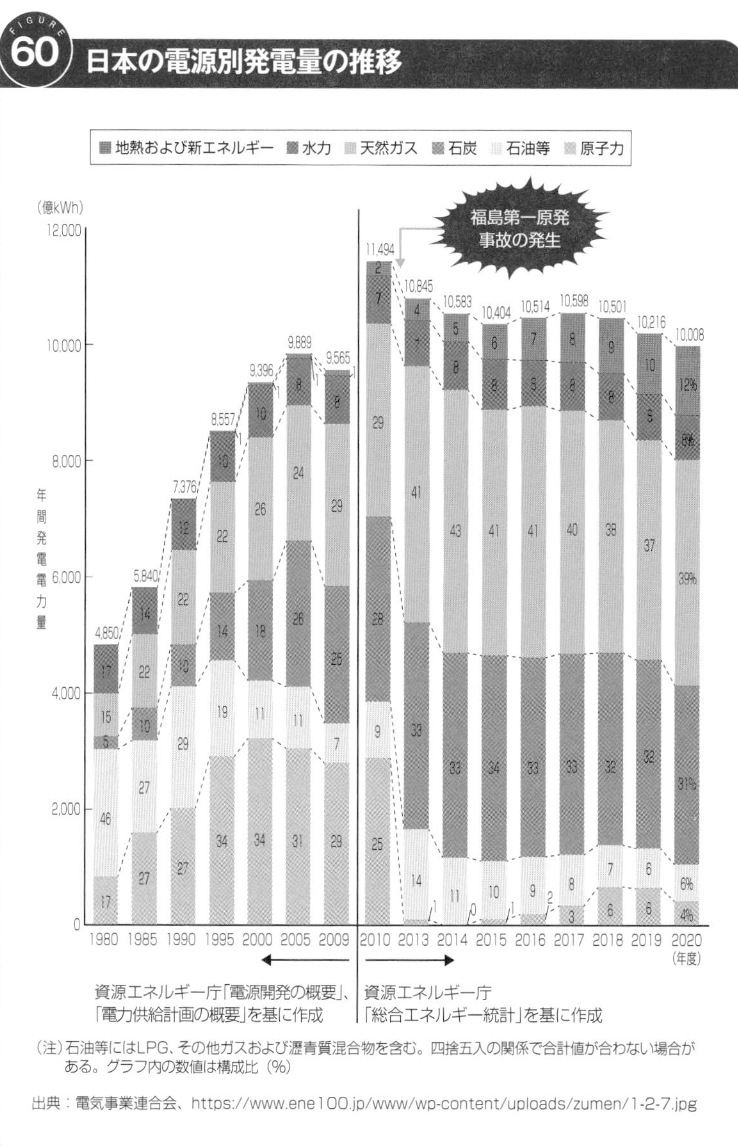

(注) 石油等にはLPG、その他ガスおよび瀝青質混合物を含む。四捨五入の関係で合計値が合わない場合がある。グラフ内の数値は構成比 (%)

出典：電気事業連合会、https://www.ene100.jp/www/wp-content/uploads/zumen/1-2-7.jpg

FIGURE 61 日本の原子力発電所稼働状況

- ● 稼働中の炉 …… 10基
- ● 原子炉設置変更許可がなされた炉 …… 7基
- ● 新規制基準への適合性審査中の炉 …… 10基
- ● 適合性審査未申請の炉 …… 9基
- ● 廃炉を決定した炉 …… 24基

数字は炉番号です。

（2023年3月16日時点）

青森県
電源開発（株）
大間原子力発電所
①

青森県
東北電力（株）
東通原子力発電所
①
東京電力（株）
東通原子力発電所
①

北海道
北海道電力（株）
泊発電所
①②③

新潟県
東京電力（株）柏崎刈羽原子力発電所
①②③④⑤⑥⑦

石川県
北陸電力（株）志賀原子力発電所
①②

福井県
日本原子力発電（株）敦賀発電所
①②

福井県
関西電力（株）美浜発電所
①②③

福井県
関西電力（株）大飯発電所
①②③④

福井県
関西電力（株）高浜発電所
①②③④

島根県
中国電力（株）島根原子力発電所
①②③

宮城県
東北電力（株）
女川原子力発電所
①②③

福島県
東京電力（株）
福島第一原子力
発電所
①②③④⑤⑥

福島県
東京電力（株）
福島第二原子力
発電所
①②③④

愛媛県
四国電力（株）
伊方発電所
①②③

静岡県
中部電力（株）
浜岡原子力発電所
①②③④⑤

佐賀県
九州電力(株)
玄海原子力
発電所
①②③④

鹿児島県
九州電力（株）川内原子力発電所
①②

茨城県
日本原子力発電（株）
東海・東海第二発電所
①②

出典：経済産業省、https://www.enecho.meti.go.jp/about/pamphlet/energy2022/009/

原子力エネルギーを巡る世界の動向（欧米）

欧米は、原子力エネルギーを巡って、原発推進国と脱原発推進国に大きく2分されています。

1 アメリカ

2021年の時点で、世界最多の96基の原発が稼働しているアメリカは、原発の出力においても世界最大です。1979年、**スリーマイル島**で発生したレベル5の原発事故を発端に、新規原発の建設が途絶えたり、既存原発の稼働率が低下した時期もありましたが、現在ではカーボンニュートラルの流れもあり、安全性を担保した上での原発利用の動きが強まっています。

2022年の日米首脳会談にて原子炉の運転期間の長期化に触れたアメリカでは、稼働率の向上および運転の長期化を進めています。運転中の原子炉の約半数が既に40年超の運転をしていますが、運転期間を80年まで容認する動きも出ています。

2 EU･ヨーロッパ

ヨーロッパは、フランス･イギリスのような原発推進国もあれば、ドイツ･スイスのように原発の廃止を決定した国もあります。

ヨーロッパ最大の原発大国であるフランスでは、2020年現在、58基の原発が稼働しており、総発電量に占める原発の割合は約70％です。マクロン大統領は、再エネと原発の両方を開発することを国策としており、どちらか片方だけでは不十分であるとしています。原発による発電量を減らす計画もありましたが、現在では新規建設も容認する方針を取っています。

ドイツでは、2011年の福島第一原発事故を受け、脱原子力が法制化され、再エネの導入が急速に進んでいます。一方、化石燃料をロシアに依存しているドイツにおいて、ロシアのウクライナ侵攻を受け、原発廃止の延長の議論が巻き起こっていましたが、2023年4月の時点で、すべての原発が停止され脱原発が完了しました。ただし、電力価格高騰など、解決すべき課題は山積しています。

FIGURE 62 アメリカの原発設備利用率

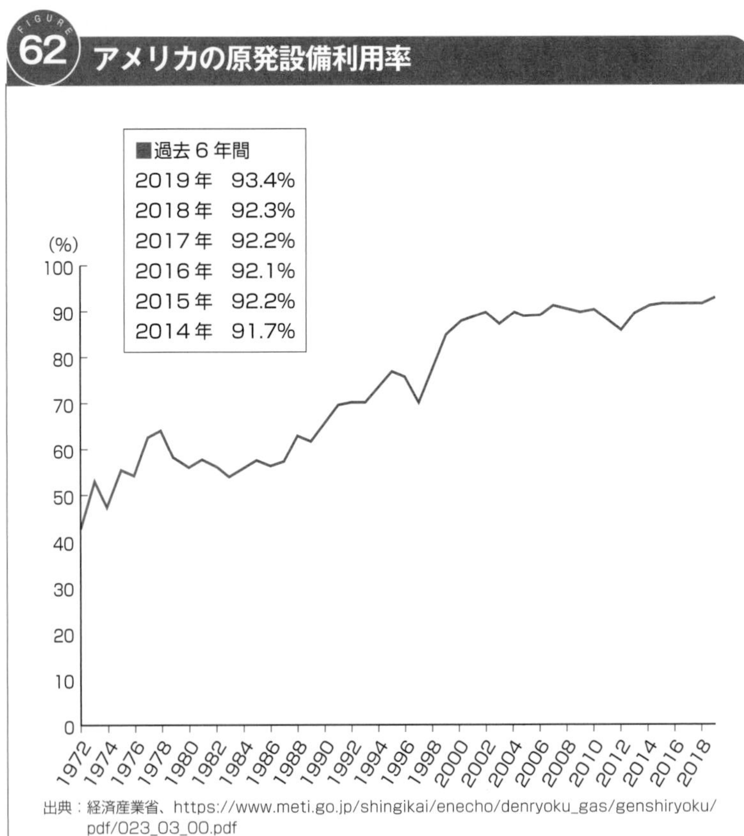

出典：経済産業省、https://www.meti.go.jp/shingikai/enecho/denryoku_gas/genshiryoku/pdf/023_03_00.pdf

主要各国の原発利用状況

将来的に利用

国名	運転機数
米国	99
フランス	58
中国	37
ロシア	35
インド	22
カナダ	19
ウクライナ	15
英国	15
スウェーデン	8
チェコ	6

国名	運転機数
パキスタン	5
フィンランド	4
ハンガリー	4
アルゼンチン	3
南アフリカ	2
ブラジル	2
ブルガリア	2
メキシコ	2
オランダ	1

- トルコ
- カザフスタン
- ベラルーシ
- マレーシア
- チリ
- ポーランド
- エジプト
- サウジアラビア
- インドネシア
- タイ
- イスラエル
- バングラデシュ
- ヨルダン
- UAE

現在原発を利用

現在原発を利用せず

スタンスを表明していない国も多数存在

国名	運転基数	脱原発決定年	脱原発予定年
韓国	24	2017年閣議決定	2080年過ぎ閉鎖見込み
ドイツ	8	2011年法制化	2022年閉鎖
ベルギー	7	2003年法制化	2025年閉鎖
台湾	6	2017年法制化	2025年閉鎖
スイス	5	2017年法制化	—

国名	脱原発決定年	脱原発予定年
イタリア	1988年閣議決定	1990年閉鎖済み
オーストリア	1979年法制化	未定
オーストラリア	1998年法制化	未定

将来的に非利用

出典：World Nuclear Association ホームページ（2017/8/1）より

原子力エネルギーを巡る世界の動向（中国・ロシア）

近年の原発市場の主導権を握っているのは中国･ロシアです。2017年以降、世界で建設されている原発の約９割が中国あるいはロシア製となっています。

1 中国

2022年現在、47基の原発が稼働している中国は世界第3位の原発大国です。総発電量が大きいため、原発の占める割合は約5% ですが、急激な需要増加に対応するため、原発の積極的な導入を進めています。

2060年までにカーボンニュートラルを実現する目標を打ち立てている習近平政権は、世界最大の CO_2排出国である中国が脱炭素を実現するためには、原発が必要不可欠であるとしています。2030年には発電能力を現状の2倍以上に拡大する計画を立て、国家レベルで原発導入拡大に取り組んでいます。また、海外への原発輸出にも積極的で、イギリスやパキスタン、ルーマニアなどで原発建設を進めています。

2 ロシア

チェルノブイリ原発事故の発生を機に、新規の原発建設は停滞していましたが、近年では積極的に原発導入を進めています。2022年現在では33基が運転中であり、総発電量に占める原発の割合は約20% です。

ロシア政府の推進する**長期エネルギー戦略**では、原発による発電量を2030年までに2.2～2.7倍に拡大する計画を立てています。

中国同様、原発輸出にも積極的で、ハンガリーなどで原発建設を進めています。

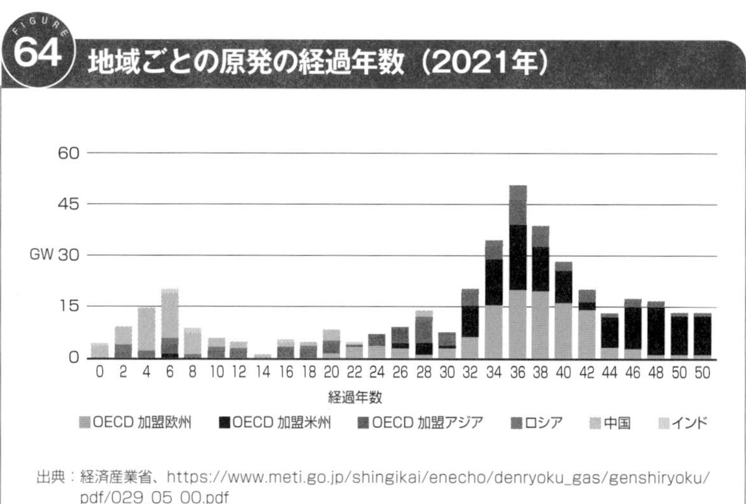

FIGURE 64 地域ごとの原発の経過年数（2021年）

出典：経済産業省、https://www.meti.go.jp/shingikai/enecho/denryoku_gas/genshiryoku/pdf/029_05_00.pdf

FIGURE 65 建設中・計画中の大型軽水炉に占める中国・ロシアの割合

●大型軽水炉

現在、世界で建設中・計画中の PWR のうち、建設中については約 60%、計画中のもので約 55%が中露の炉型。

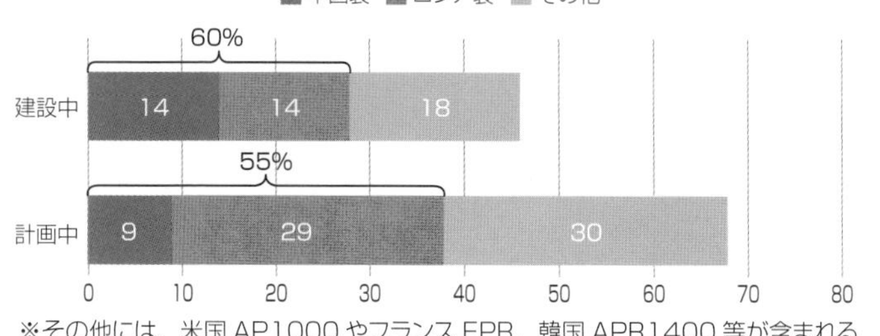

※その他には、米国 AP1000 やフランス EPR、韓国 APR1400 等が含まれる

出典：経済産業省、https://www.meti.go.jp/shingikai/enecho/denryoku_gas/genshiryoku/pdf/024_03_00.pdf

CHAPTER 5 原子力エネルギー

Column

電力価格の高騰

近年、冬季の電力価格の高騰が度々話題になります。私たちの経済において欠かせない電力の高騰は、家計や企業へ大きな打撃を与えることとなります。電力価格が高騰する要因はいくつかありますが、大きく2つに分類できます。

●資源価格の高騰

日本では火力発電が主力の発電方法です。その火力発電に利用する天然ガスや石炭の価格は、電気代に大きく影響します。脱炭素の流れを受け、比較的クリーンな化石燃料である天然ガスの需要が高まっていると共に、ロシアのウクライナ侵攻を受け、ロシアからの化石燃料の供給量が大幅に減少していることが主な要因です。

また、近年の円安も、海外からのエネルギー輸入価格上昇に寄与しています。日本は海外からの化石燃料輸入に依存しているため、国際情勢に大きな影響を受けてしまうということですね。

●電力供給力不足

2011年の福島第一原発事故を受け、日本では多くの原発が稼働を停止しました。ベースロード電源に位置づけられ、電力の安定供給に一役買っていた原発が稼働を停止したため、現在の日本は火力発電に大きく依存しています。結果として、暖房の利用などで電力需要が大幅に増える冬場では、既存の火力発電を最大限に利用しても、十分な供給を担うことができません。結果として、需要過多となり、電力価格が増加してしまうのです。

今後、再生可能エネルギーの導入により、海外へのエネルギー依存は徐々に減少していくこととなりますが、天候に影響されるなど課題もまだまだ山積しています。

太陽エネルギー

太陽光パネルの製造・輸入に課題あり？

人間は太古の昔から、光や熱として太陽のエネルギーを利用してきました。一方、産業革命以降、その立ち位置は化石燃料の勢いに押され、太陽のありがたみは半ば忘れ去られていました。なぜなら、化石燃料によって24時間いつでも光や熱を得られるようになったためです。

しかしながら、近年では太陽エネルギーの重要さが再認識され始めています。化石燃料がCO_2や大気汚染物質を排出する上に、採掘可能な場所が偏在している、資源に限りがあるなどの問題が噴出しているためです。

地球へと無限に降り注ぐ太陽からのエネルギーについて、今一度学びなおし、太陽のありがたみを再認識していきましょう。

太陽エネルギーの概要

太陽の光や熱をエネルギー源とした太陽光発電、太陽熱発電。太陽の寿命が尽きない限り、枯渇の心配がありません。太陽光は天気や季節、緯度に左右されるものの、太陽光さえ届けばどこでも発電可能なため、急速に普及が進んでいます。

1 太陽光発電とは

太陽の光をエネルギー源とし、太陽電池を用いて太陽光を電気に変換することにより発電することを**太陽光発電**といいます。太陽電池は2種類の半導体を貼り合わせて作られており、太陽光が当たると光電効果と呼ばれる現象が起こり、電気が発生します。

太陽光を利用した発電方法のため、太陽が沈んでしまう夜や、天気の悪い日には発電ができませんが、導入が比較的容易なため、日本では年々導入量が増加しています。

近年では、耕作放棄地などの未利用の土地に大規模にソーラーパネルを設置する**メガソーラー**と呼ばれる発電システムの導入も進められています。

2 太陽熱発電とは

レンズや反射鏡を利用した太陽炉で太陽光を集め、熱源として利用する発電方法を**太陽熱発電**といいます。太陽の熱を利用して蒸気を発生させ、タービンを回すことで発電します。

太陽のエネルギーを熱として利用しており、蓄熱すると夜間や天候の悪い時でも発電を継続できる点が太陽光発電とは異なります。

砂漠などの広大な土地を多く所有する、米国や中国、オーストラリア、中東などで導入が進められています。

FIGURE 66 太陽光発電の仕組み

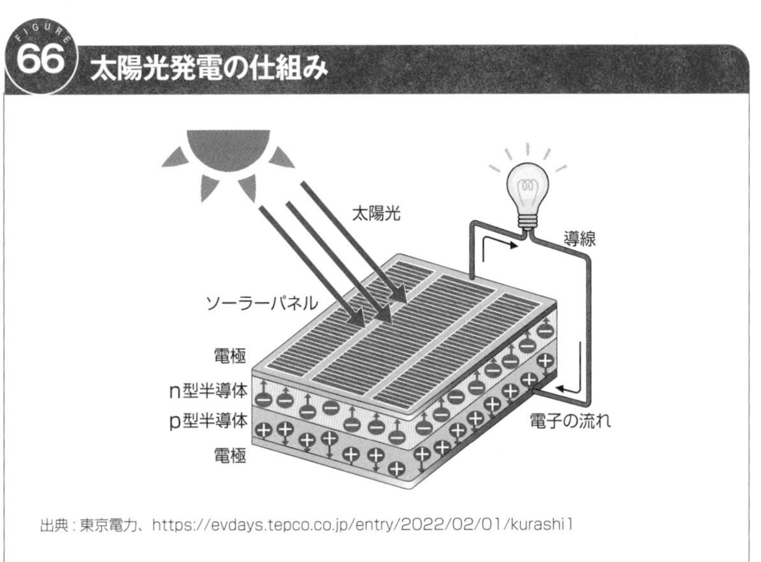

出典：東京電力、https://evdays.tepco.co.jp/entry/2022/02/01/kurashi1

FIGURE 67 太陽熱発電の仕組み

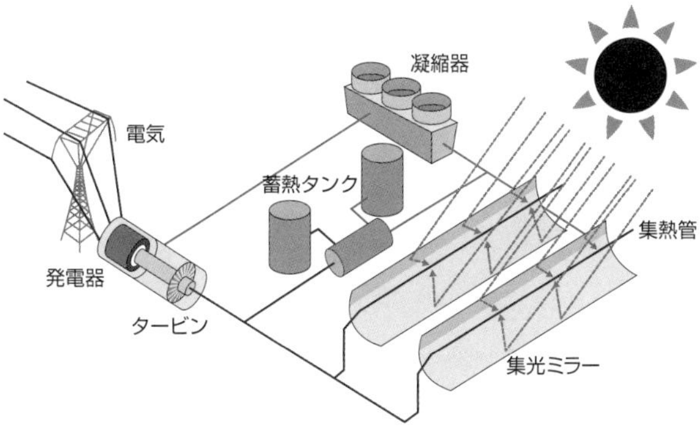

出典：NEDO、https://www.nedo.go.jp/content/100544820.pdf

導入状況・導入ポテンシャル

太陽エネルギーを用いた発電、特に太陽光発電の導入量は年々増加しています。

1 太陽光発電の導入状況

日本では2012年より再生可能エネルギーの**固定価格買取制度**（**FIT制度**）*が設けられ、再生可能エネルギーで発電した電気を、電力会社が一定価格で一定期間買い取ることが国によって約束されました。この制度により、急速に再生可能エネルギー、特に導入が容易な太陽光発電の導入が進みました。

現在、日本は中国、米国に次いで世界第3位の太陽光発電設備容量を有しています。

2 太陽光発電の導入ポテンシャル

太陽光発電は、**太陽光パネル**さえ設置できればどこでも容易に発電ができます。現在、住宅、公共施設、耕作放棄地などの屋根や壁への設置が進んでいますが、環境省の推計では現在の7倍近くまで導入量を増やすことが可能であるとされています。

現在、「再生可能エネルギー固定価格買取制度」の他、太陽光発電設備等を設置した新築の低炭素住宅等に対して借入上限額の上乗せ措置を行う住宅ローン減税などの政策により導入が推進されています。

＊**再生可能エネルギーの固定価格買取制度（FIT制度）** 再生可能エネルギーで発電した電気を、電力会社が一定価格で一定期間買い取ることを国が約束する制度。

東京都では2025年から、条件を満たした新築戸建て住宅への太陽光パネル設置の義務化も話題となりました。

FIGURE 68 日本における太陽光発電導入量の推移

累計（万kW）
7,000
6,500
6,000
5,500
5,000
4,500
4,000
3,500
3,000
2,500
2,000
1,500
1,000
500
0
2.4 4.3 9.1 20.9 33.0 45.3 70 93 120 150 177 198 222 284 390 531 911 1,766 2,688 3,605 4,229 4,773 5,337 5,901 6,476
93 95 97 99 00 01 02 03 04 05 06 07 08 09 10 11 12 13 14 15 16 17 18 19 20
（年度）

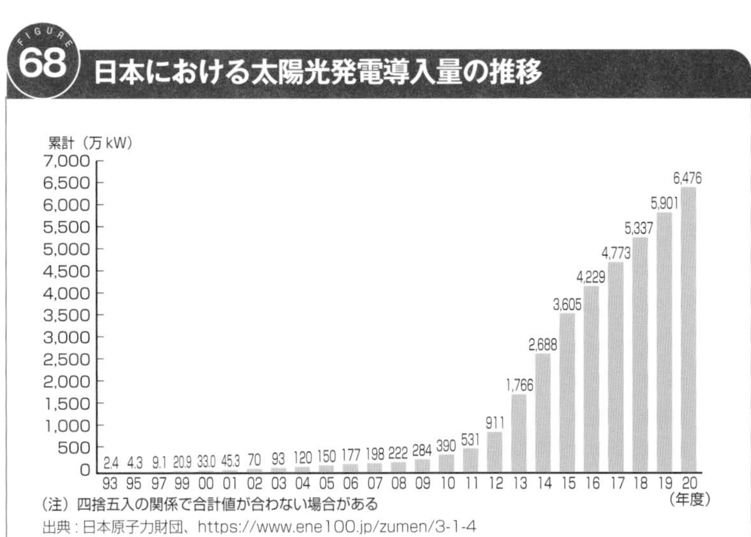

（注）四捨五入の関係で合計値が合わない場合がある

出典：日本原子力財団、https://www.ene100.jp/zumen/3-1-4

FIGURE 69 太陽光発電の導入ポテンシャル

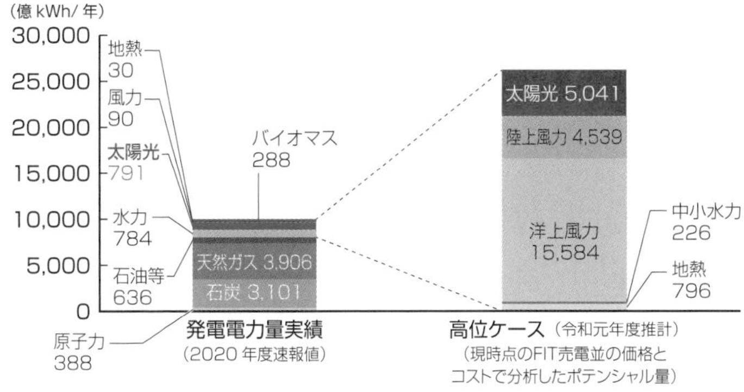

（億kWh/年）
30,000
25,000
20,000
15,000
10,000
5,000
0
地熱 30
風力 90
太陽光 791
水力 784
石油等 636
原子力 388
バイオマス 288
天然ガス 3,906
石炭 3,101
太陽光 5,041
陸上風力 4,539
洋上風力 15,584
中小水力 226
地熱 796
発電電力量実績
（2020年度速報値）
高位ケース（令和元年度推計）
（現時点のFIT売電並の価格とコストで分析したポテンシャル量）

出典：環境省、https://www.renewable-energy-potential.env.go.jp/RenewableEnergy/doc/gaiyou3.pdf（p3）

3 太陽エネルギー利用のメリット

太陽エネルギーの利用には環境面、安全保障面など様々なメリットがあります。

1 環境に優しい

太陽エネルギーを利用した発電方法は、CO_2や大気汚染物質を排出しないため環境に優しい発電方法とされています。

また、太陽光パネルは遮熱効果もあります。住宅の屋根に設置した場合、夏場は室内気温の上昇を抑え、冬場は室内からの熱の放射を防ぐ役割も担います。これにより、クーラーや暖房の過度の利用を抑えることができます。

2 枯渇せず、他国に依存しない

太陽エネルギーを利用した発電方法のため、太陽の寿命が尽きない限り枯渇しません。また、基本的に太陽光が降り注ぐ地域であれば発電が可能であるため、他の国からエネルギー源を輸入してくる必要もありません。したがって、他国に依存せず、自国で独立してエネルギーの確保が可能となります。

他国に依存しないで発電が可能となると、輸入先の情勢により石油や石炭などのエネルギー源が断たれた際にも国内でエネルギーを自給できるため、安全保障の観点でも役立ちます。

3 災害時でも独立して利用できる

地震や台風などの災害時に、発電所や送電設備が被害を受けると、対象の地域全体が停電してしまいます。一方、太陽光パネルを設置している家庭や工場では独自に発電が可能となるため、地域で停電が発生しても電気を使い続けることができます。

FIGURE 70 太陽パネルによる遮熱効果

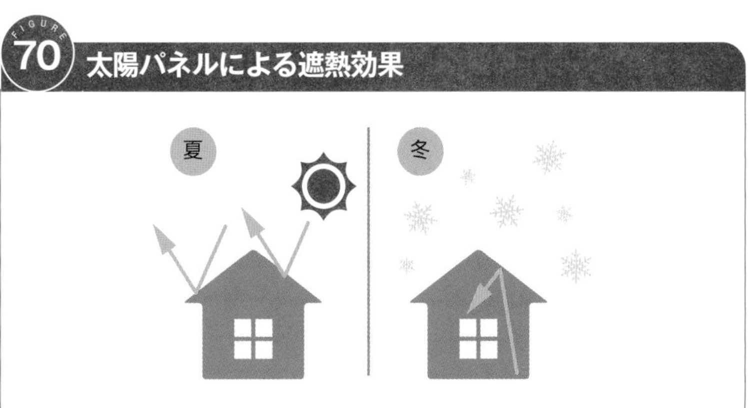

FIGURE 71 災害時の太陽光発電による電力供給イメージ

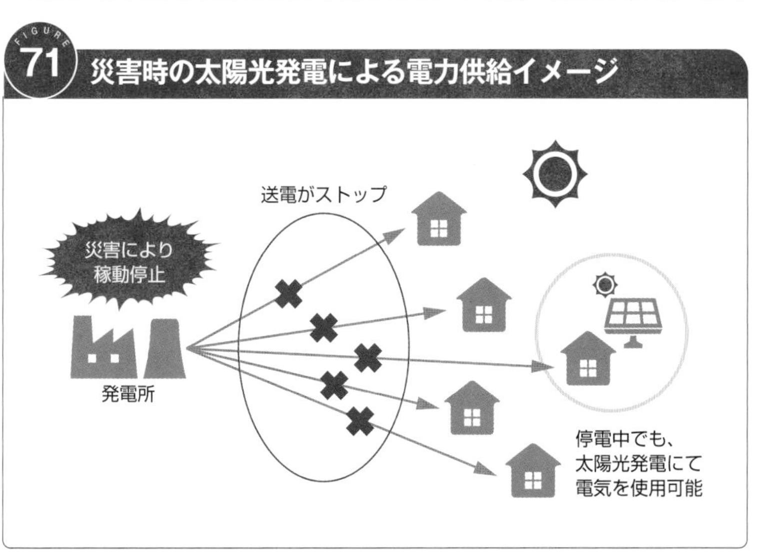

太陽エネルギー利用の問題と課題

太陽エネルギーの利用は他エネルギーと比較して敷居が低いため、導入が進んでいます。一方、導入においては課題もあります。

1 太陽光パネルの設置・管理コスト

太陽光発電導入のためには、**太陽光パネル**を購入 / レンタルする必要があり、初期投資が大きいという課題があります。一方、太陽光パネルの生産数量の増加により、生産コストは年々低下しつつあります。今後さらに価格が低下すると、太陽光パネルがより身近な存在になってくるでしょう。また、太陽光パネルの洗浄や、地震・台風・土砂崩れなどの自然災害への対策といった管理コストもかかってきます。

2 製造・廃棄による環境負荷

太陽光パネルには、鉛やカドミウムといった有害物質が含まれている場合があります。こうした有害物質の流出に留意し、その他の部分を適切にリサイクルしない限り、有害物質の流出や大量の廃棄物の発生リスクがあります。

3 製造を他国へ依存

かつては、太陽光パネル製造における日本のシェアはトップクラスでしたが、現在は中国が圧倒的なシェアを誇ります。太陽光発電の導入により、**エネルギー自給率**を高めることができますが、その発電に必要な太陽光パネルの製造は、他国に依存しています。

日本は自国でも製造技術を持っているので、直近で大きな問題が生じるわけではないですが、リスクがあることは認識しておく必要があるでしょう。

FIGURE 72 太陽光発電の発電コスト推移

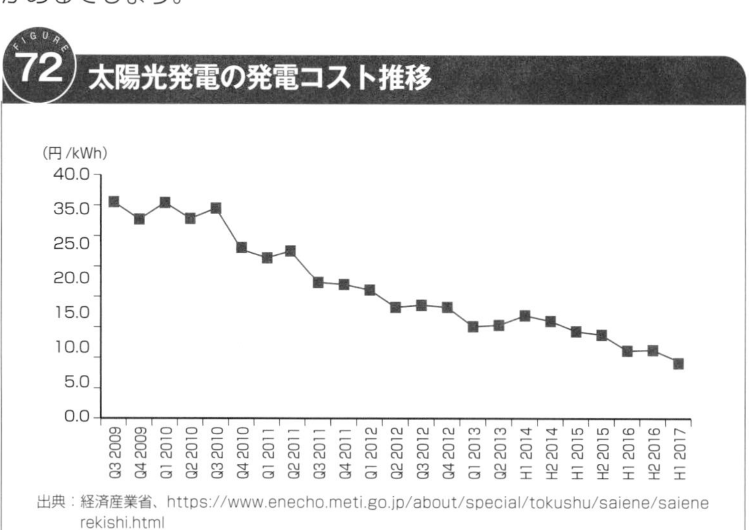

出典：経済産業省、https://www.enecho.meti.go.jp/about/special/tokushu/saiene/saienerekishi.html

FIGURE 73 世界の太陽光パネル出荷量の国別シェアの推移

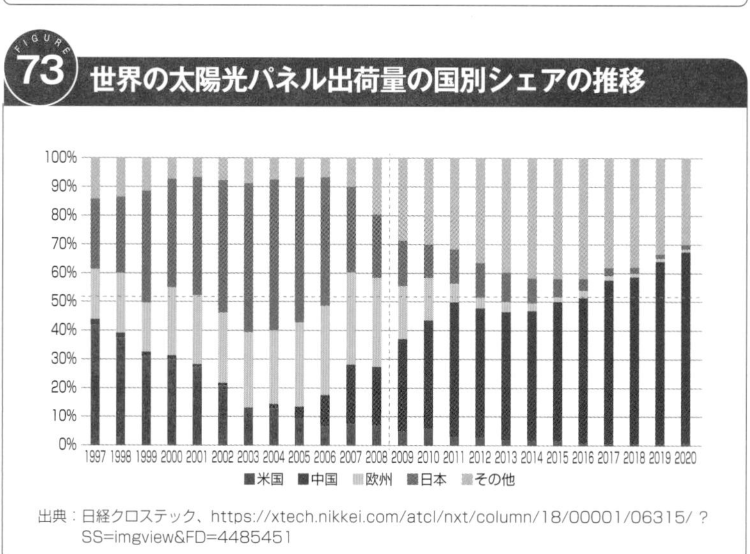

出典：日経クロステック、https://xtech.nikkei.com/atcl/nxt/column/18/00001/06315/?SS=imgview&FD=4485451

太陽エネルギーを巡る世界の動向

世界では太陽光エネルギーの利用が急速に進んでいます。

1 日本

日本の国土面積あたりの**太陽光設備容量**は世界第1位です。各住宅の屋根への設置のほか、耕作放棄地などを利用した大規模な太陽光発電設備である**メガソーラー**の建設が進んでいます。未利用の土地を有効利用して大規模に発電できるメリットがある一方で、森林を伐採して建設するため、環境への影響も懸念されています。

2 アメリカ

アメリカでは、特に環境意識が高く、日照時間も長いカリフォルニアを中心に導入が進められています。一方、対中輸入規制に伴い、中国から太陽光パネル輸入に制限があります。こうした事情により、太陽光発電導入の需要に対して、十分な太陽光パネルを供給できないというリスクがある状態です。

3 中国

中国では広大な敷地面積を活かした太陽光発電の導入が急速に進んでいます。太陽光発電量は世界第1位、太陽光パネル製造も世界第1位です。自国で太陽光パネルを大量生産しコスト削減を実現した中国は、国を挙げて太陽光発電の導入に取り組んでおり、内需で培った技術をグローバル展開することで、自国に利益をもたらしています。今後も中国による太陽光市場の席巻は続くでしょう。

4 EU

EU では、エネルギーのロシア依存から脱却するため、2029年までに段階的にすべての新築・既存公共・商業ビルおよび新築住宅に対し、太陽光パネルを設置することを義務化しました。

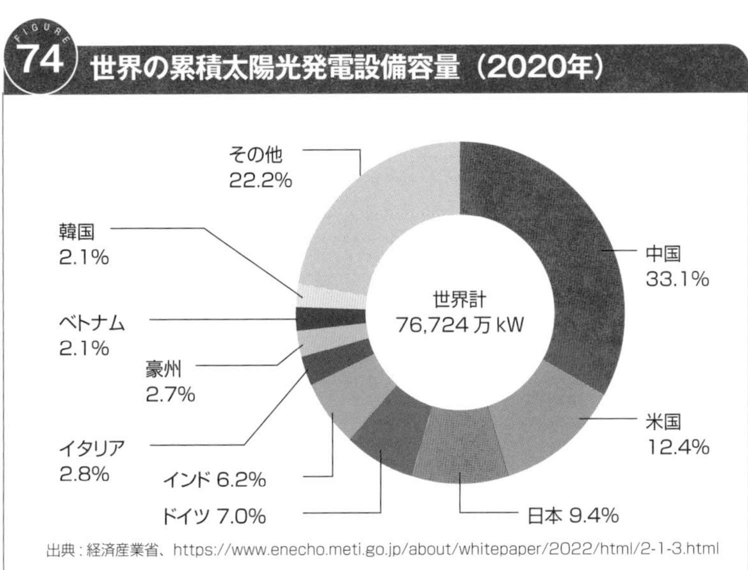

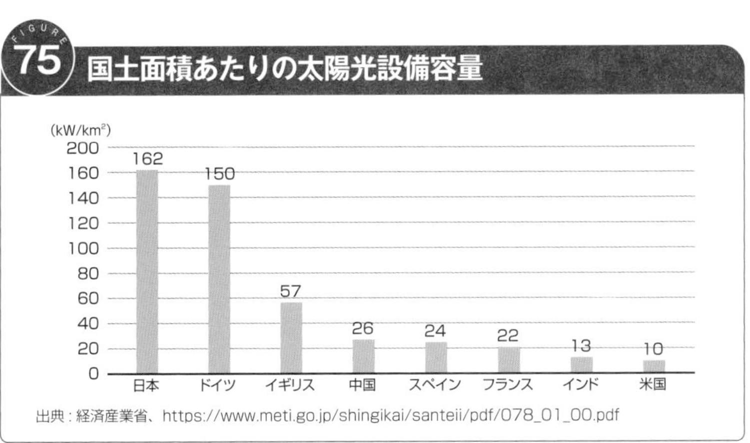

CHAPTER 6 太陽エネルギー

Column

宇宙で太陽光発電？

再生可能エネルギーの中で、太陽光発電は身近な存在です。みなさんの中にも、家の屋根に太陽光パネルを設置している方もいらっしゃるかと思います。

太陽さえあれば発電ができるため、非常に便利な発電方法ですが、日光がいつでも降り注いでいるわけではありません。曇りや雨の日、そして夜間など、太陽光発電ができない時間帯も多いのが実情です。

そこで研究開発が進められているのが、**宇宙太陽光発電**です。その名の通り、宇宙に太陽光パネルを設置し、宇宙で発電した電気を地球上に送る方法です。宇宙は雲の上なので、天候の影響を受けません。したがって、地球のある地域で雨が降っていてもまったく影響を受けず、いつでも発電が可能です。地球上では、空気中の塵などに太陽光が当たり、地表に太陽光が届くまでに大きく減衰してしまいますが、宇宙には大気もないため、減衰することもありません。したがって、効率的に太陽からのエネルギーを活用することができます。

また、地球は自転しているため昼と夜があり、当然夜間は発電できません。しかし、宇宙空間では24時間発電が可能です。なぜなら、宇宙空間に飛ばす衛星を常に太陽に当たる軌道に飛ばすことも可能だからです。太陽からの無尽蔵のエネルギーを利用でき、天候の影響も受けず、ほぼ24時間365日の発電が可能になる「宇宙太陽光発電」。大きな期待が持てますね。

一方、地球上への送電方法や初期投資の大きさ、宇宙からの送電による他機器や人体への影響、そして軍事転用など、解決すべき課題は山積していますが、実現されればエネルギー問題の解決に大いに貢献するテクノロジーです。日本のJAXAでも研究開発が進められている「宇宙太陽光発電」。今後の技術革新、そして実用化に大いに期待しましょう。

風力エネルギー

注目集まるも 自然環境が普及の妨げに？

地球上では、自転の影響や温度差・気圧差の影響で風が吹きます。地球が動き続ける限り、季節は巡ります。朝に日が昇り、夕方に沈みます。こうした動きが、地球上に温度差・気圧差を生み出し、風が吹きます。

太陽光と同様に、風も太古の昔から人類が利用してきたエネルギー源です。産業革命以前、人々は帆船を用いて世界を移動していました。風車を動力源として穀物を粉砕し、製粉していた時代もあります。

一方、台風やハリケーンのような家屋・作物に被害をもたらす強風もあれば、やませのような作物に冷害をもたらす冷たい風もあります。

長年風と向き合ってきた人類は、現在、風の力を見直すフェーズに来ています。風のエネルギーを利用した発電を通じたクリーンな営みを実現するため、日々研究開発が進められています。その一端を学んでいきましょう。

風力エネルギーの概要

風のエネルギーを電力に変換するのが風力発電です。風力発電には大きく分けて2種類あります。

1 風力発電の仕組み

風力発電とは、風の力で風車を回転させ、それを電気エネルギーに変換する発電方法です。発電に利用する風車は**風力タービン**と呼ばれ、ブレードと呼ばれる羽根に当たった風がハブを中心にプロペラのように風車を回転させ、ナセルと呼ばれる部分にある発電機を通じて電気として出力されます。

2 陸上風力発電

陸上風力発電は、その名の通り陸上に風車を設置して発電する方法です。山間部の尾根近くや海岸沿いなど、一定量以上の風速で風が継続的に吹き続ける場所に多く設置されています。小型の風車であれば、街の近くでも設置が可能です。

3 洋上風力発電

洋上風力発電は、陸地ではなく海に風車を設置して発電する方法です。大きく分けて、**着床式**(ちゃくしょうしき)と**浮体式**(ふたいしき)があります。

着床式は、風車の基礎部分を海底に埋め込み固定する方法です。水深50m程度までの浅い海で広く用いられています。現状、大多数の洋上風力発電は着床式となっています。

一方、水深の深い海では風車の基礎を海底に埋め込むコストが大きいため、浮体式が用いられています。浮体式とは、船のように海上に風車を浮かせ、海底にロープで繋ぎ止める方法です。

また、海底には送電線が存在しないので、洋上風力発電を行う場合、新たに海底ケーブルを敷設する必要があります。

FIGURE 76 風力発電の仕組み

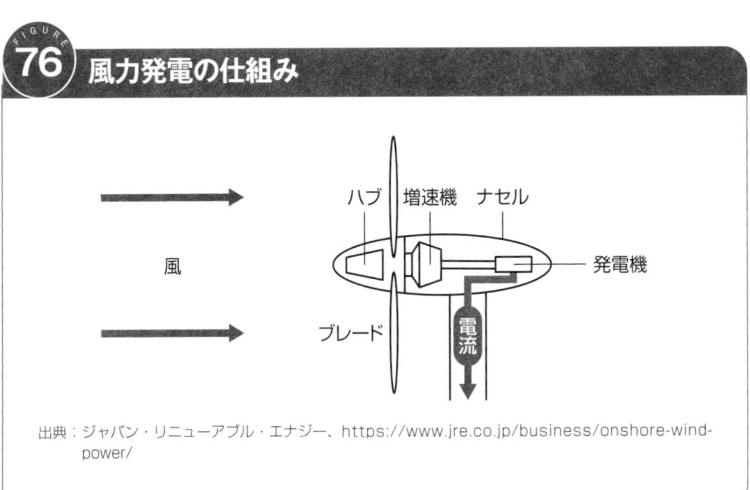

出典：ジャパン・リニューアブル・エナジー、https://www.jre.co.jp/business/onshore-wind-power/

FIGURE 77 風力発電の種類

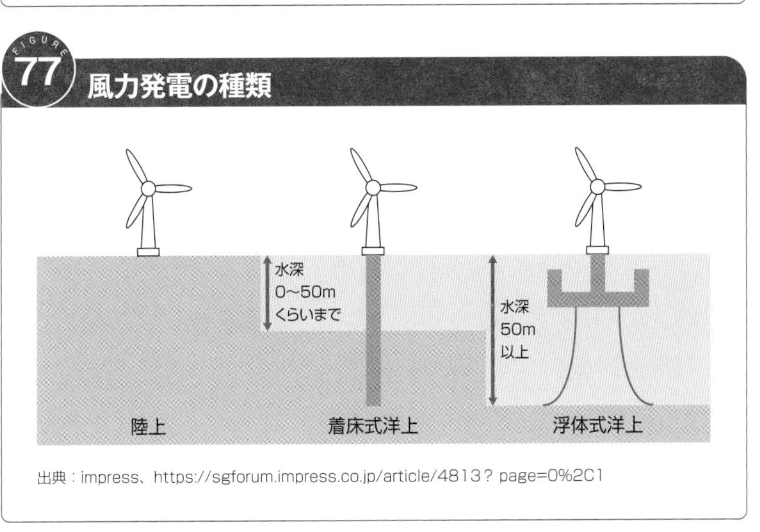

出典：impress、https://sgforum.impress.co.jp/article/4813？page=0%2C1

導入状況・導入ポテンシャル

現在、ヨーロッパを中心に風力発電の導入が進められています。一人当たりの風力発電導入量はヨーロッパ諸国が上位を占めますが、総発電量で見ると中国が圧倒的１位を誇ります。

1 風力発電の導入状況

日本における風力発電導入量は年々増加しつつありますが、欧米諸国や中国と比較して伸び悩んでいるというのが現状です。陸上風力発電に適した、強い風が継続的に吹く土地の少なさや、地震・台風といった自然災害対策のコストの高さなどが普及を妨げる要因となっています。

また、日本の近海は水深が深く、着床式よりもコストの高い浮体式風力発電を選択せざるを得ない状況であることも、導入が進まない理由の1つです。

2 風車発電の導入ポテンシャル

現在、日本政府は、**再エネ海域利用法***を制定し、洋上風力発電の利用促進に向けて走り出しています。自然条件や既存漁業者・海運業者へ支障をきたさないこと等を要件とし、促進区域を指定することで、洋上風力発電の導入を促しています。

現在、秋田県沖や千葉県の銚子沖等が促進区域として指定され、事業者の選定もなされています。

＊**再エネ海域利用法**　海洋再生可能エネルギー発電設備の整備に係る海域の利用の促進に関する法律。

世界で8番目に広い排他的経済水域を誇る日本では、洋上風力発電の導入ポテンシャルが大きいとされています。環境省によると、陸上風力・洋上風力合計で2020年の約224倍の導入ポテンシャルがあるとの試算が出ています。

FIGURE 78 日本の風力発電　導入量の推移

累計（万kW）
500
450
400
350
300
250
200
150
100
50
0
0.1
1.0
14.4
92.5
108.5
149.0
167.4
188.2
218.6
247.5
255.6
264.2
270.1
292.1
307.8
337.8
339.2
365.3
392.3
443.9
1990 95 2000 04 05 06 07 08 09 10 11 12 13 14 15 16 17 18 19 20（年）

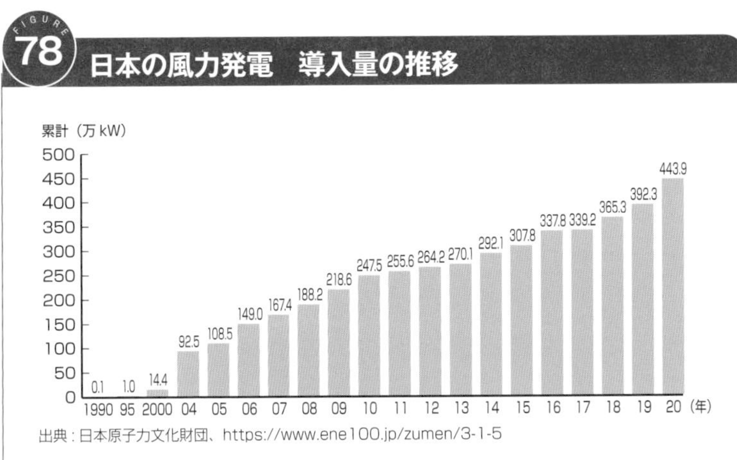

出典：日本原子力文化財団、https://www.ene100.jp/zumen/3-1-5

FIGURE 79 風力発電の導入ポテンシャル

（億kWh/年）
30,000
25,000
20,000
15,000
10,000
5,000
0
地熱 30
風力 90
太陽光 791
水力 784
石油等 636
原子力 388
バイオマス 288
天然ガス 3,906
石炭 3,101
太陽光 5,041
陸上風力 4,539
洋上風力 15,584
中小水力 226
地熱 796
発電電力量実績
（2020年度速報値）
高位ケース（令和元年度推計）
（現時点のFIT売電並の価格とコストで分析したポテンシャル量）

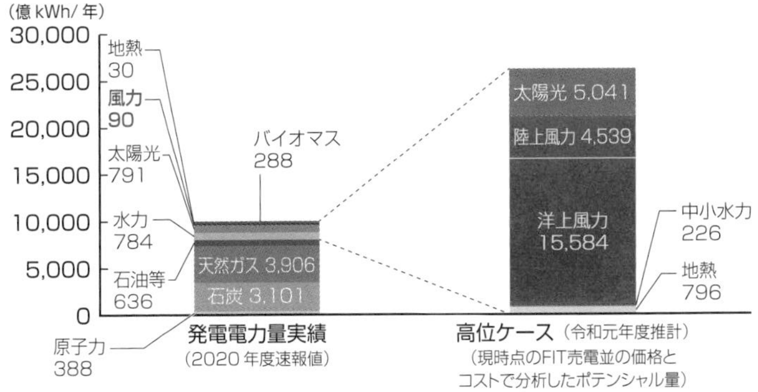

出典：環境省、https://www.renewable-energy-potential.env.go.jp/RenewableEnergy/doc/gaiyou3.pdf（p3）

風力エネルギー利用のメリット

風力発電は、個人で住宅に設置するのは難しいですが、設置さえできれば様々なメリットがあります。

1 環境に優しく、枯渇しない

風力発電は、風さえあれば発電できるため、枯渇せず、またCO_2や大気汚染物質も排出しない環境に優しい発電方法です。エネルギー源を他国から輸入する必要がないため、安全保障の観点でも非常に重要なエネルギーとなります。

2 夜間でも発電できる

風は昼夜問わず吹くため、太陽光発電とは異なり、夜間や悪天候時でも発電が可能です。冬場に日照時間が短くなるヨーロッパなどの高緯度地域でも有用な発電方法です。

3 エネルギー変換効率が高い

風力発電は、再生可能エネルギーの中では水力に次いで2番目に**エネルギー変換効率**の高い発電方法です。エネルギー変換効率とは、光、電力、動力、熱などエネルギー形態の間での変換の効率または有効に利用できるエネルギーの割合のことで、出力エネルギー÷入力エネルギー×100（%）の値をいいます。自然界のエネルギーを効率よく電気に変換することができるということであり、小さな風からも比較的たくさんの電気を取り出すことができるということになります。

発電コストが比較的低い

大規模な風力発電施設を建設することができれば、火力発電並みにコストを下げることができます。したがって、風力発電は環境に優しいだけでなく、経済面でも競争力のある発電方法となり得ると言えるでしょう。

FIGURE 80 発電方式別にみたエネルギー変換効率

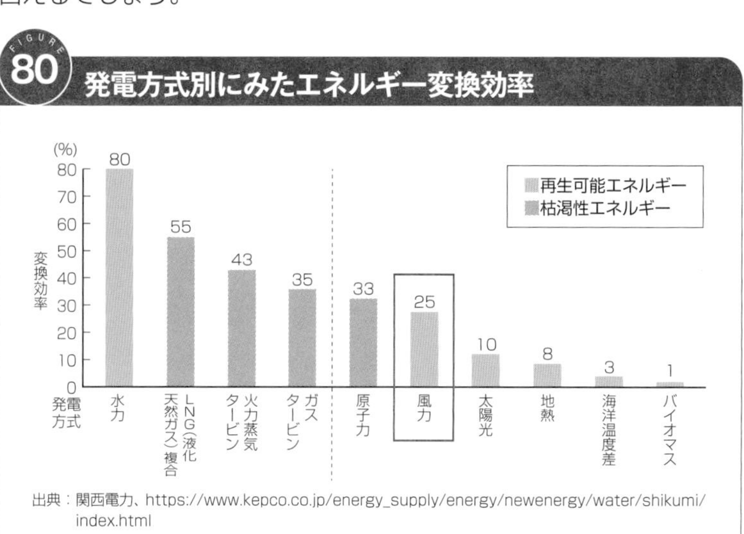

出典：関西電力、https://www.kepco.co.jp/energy_supply/energy/newenergy/water/shikumi/index.html

FIGURE 81 世界の洋上風力発電コスト

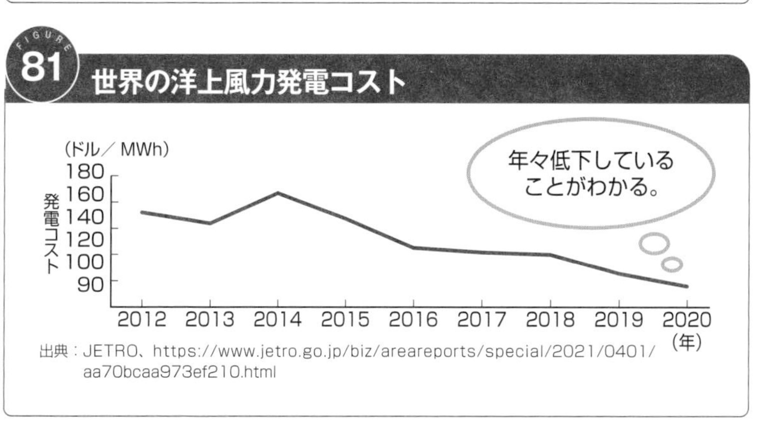

出典：JETRO、https://www.jetro.go.jp/biz/areareports/special/2021/0401/aa70bcaa973ef210.html

風力エネルギー利用の問題と課題

風力発電は、大型になればなるほど発電効率は良くなりますが、設置にあたってクリアしなくてはならない課題もあります。

1 風車建設に適した用地の不足

風力発電に適した、強い風が継続的に吹く土地は限られています。風車が回ることによる騒音・低周波音による被害も確認されているため、市街地に近すぎる場所への設置は難しいですが、送電効率を鑑みると遠すぎる場所も適しません。

また、洋上でも水深が深い場合は着床式の建設が難しく、コストの高い浮体式を選択せざるを得ないという課題があります。

2 発電量が天候に左右される

風力発電は、風さえ吹けば夜中や雨の日でも発電ができます。しかし、風が弱いときは発電量が少なくなり、風が強すぎる場合には風車が壊れてしまうのを防ぐため、運転を止めなくてはなりません。

3 自然災害への対策

日本のように地震の多い地域では、風車を耐震構造にしなくてはならないため、コストがかかります。また、台風やハリケーンといった熱帯低気圧が到来する地域も、強風による損壊を防ぐためのコストがかさんでしまうという問題があります。

4 自然環境への影響

海上や山中の風の通り道に風車を設置することが多いため、そこに生息する鳥類が風車に衝突してしまう事故が発生する場合があります。こうした事故はバードストライクと呼ばれます。また、風車を忌避した鳥類が生息地を放棄してしまう事例も報告されています。こうした自然環境への影響を鑑みて風車を建設する必要があるため、アセスメントに時間がかかる場合があります。

FIGURE 82 風力発電に適した用地

FIGURE 83 風力発電による音量

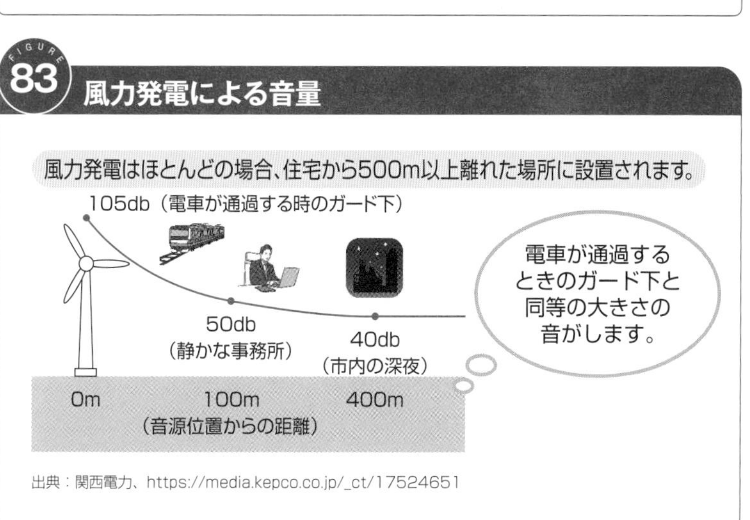

出典：関西電力、https://media.kepco.co.jp/_ct/17524651

風力エネルギーを巡る世界の動向

世界の風力発電の導入量は急速に増えています。風力エネルギーを巡る世界の動向を見ていきましょう。

1 日本

日本は風力発電に適した用地が少なく、風力発電の導入は欧米と比較して遅れています。しかしながら、広大な**排他的経済水域***を活かし、国を挙げて浮体式風力発電の導入を進めています。大量導入によりコストが低下すれば、より導入が促進されてくるでしょう。

2 アメリカ

アメリカは、生産税額控除といった**再エネ優遇政策**を通じ、風力発電の導入を後押ししてきました。広大な国土面積および排他的経済水域のおかげもあり、中国に次いで世界2位の累積風力発電量を誇ります。

3 中国

アメリカと同様に広大な国土面積および海岸線を持つ中国は、世界トップの累積風力発電容量を誇ります。中国は、「再生可能エネルギーの発展計画」を策定し、国を挙げて風力発電の導入を進めています。

＊**排他的経済水域**　漁業をしたり、石油などの天然資源を掘ったり、科学的な調査を行ったりという活動を、他の国に邪魔されずに自由に行うことができる水域を指します。

4 EU

環境意識が高く、古くから風車を利用する文化のあるヨーロッパでは風力発電の導入が急速に進んでおり、人口当たりの風力発電量の上位国はいずれもヨーロッパ諸国です。

特にデンマークやドイツといった北海沿岸で**洋上風力発電**が盛んです。偏西風の影響により、強い風が継続的に吹き続けるためです。EU 各国では、**欧州グリーンディール***といった政策を通じ、国が主導して洋上風力発電の導入を推進しています。

また、一人当たりの風力発電導入量トップを誇るデンマークは、風力発電タービンの製造でも世界トップシェアを誇ります。

FIGURE 84 世界の風力発電導入量

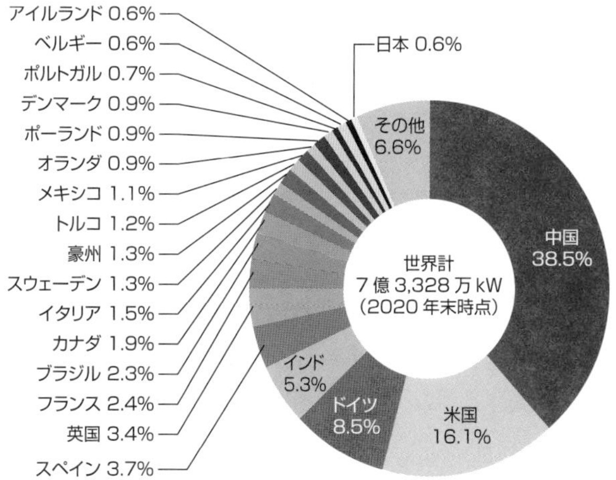

アイルランド 0.6%
ベルギー 0.6%
ポルトガル 0.7%
デンマーク 0.9%
ポーランド 0.9%
オランダ 0.9%
メキシコ 1.1%
トルコ 1.2%
豪州 1.3%
スウェーデン 1.3%
イタリア 1.5%
カナダ 1.9%
ブラジル 2.3%
フランス 2.4%
英国 3.4%
スペイン 3.7%
日本 0.6%
その他 6.6%
中国 38.5%
米国 16.1%
ドイツ 8.5%
インド 5.3%
世界計
7 億 3,328 万 kW
(2020 年末時点)

出典：経済産業省、https://www.enecho.meti.go.jp/about/whitepaper/2022/html/2-1-3.html

＊**欧州グリーンディール**　EU からの温室効果ガスの排出を実質ゼロにする、という目標達成に向けた、EU 環境政策の全体像を示したものです。

FIGURE 85 人口あたりの風力発電導入量

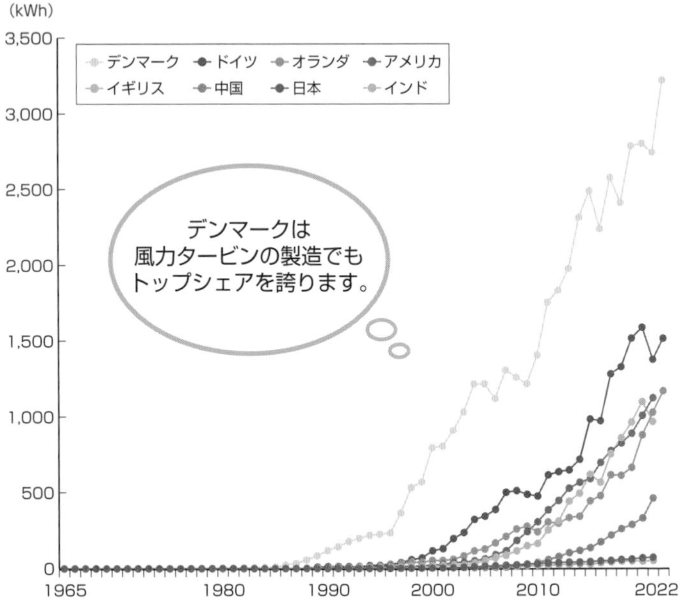

(kWh)

3,500
3,000
2,500
2,000
1,500
1,000
500
0

デンマーク　ドイツ　オランダ　アメリカ
イギリス　中国　日本　インド

デンマークは
風力タービンの製造でも
トップシェアを誇ります。

1965　1980　1990　2000　2010　2022

出典：https://ourworldindata.org/grapher/wind-electricity-per-capita?tab=chart&country=IND~DEU~NLD~DNK~USA~JPN~GBR~CHN

FIGURE 86 風力発電所

北海道幌延町の
オトンルイ
風力発電所

Column

アフリカと再生可能エネルギー

アフリカ、特にサハラ砂漠以南のサブサハラと呼ばれる地域では、電力供給が不安定な地域が依然として多くあります。特に農村部において、送電インフラが整っていない、あるいは発電の出力が不安定といった理由から、電気を利用できなかったり頻繁に停電してしまうといった状態が見受けられます。また、広大な国土にポツポツと集落がある場合、誰も住んでいない地域に送電線を引く必要があり、建設コストも維持コストも非常に高くなってしまいます。

そこで活用できるのが再生可能エネルギーです。再生可能エネルギーは他国からのエネルギー資源輸入が必要ないため、資金の少ない国でも導入の敷居が低くなります。また、小規模の発電施設を各地域内部に作ることができるため、広大な土地に送電線を引く必要もなく、地産地消する形で地域内に電気を行き渡らせることができます。

実際に太陽光パネルが設置され、地域住民に実用的に利用されている地域も数多くあります。太陽光パネルが1つ設置されるだけでも、地域に明かりが灯り、夜にも活動できるようになります。明るい時間には畑や家事の手伝いをしている子どもたちが、夜の時間に勉強することができるようになりますし、スマホの利用やインターネットへのアクセスも容易になることで、情報格差も狭まります。

アフリカ南部·マラウイ共和国の貧困地域において、自力で風力発電設備を作り、地域に電力を供給することで、地域に恵みをもたらすと共に、自らの活躍機会を切り開いた14歳の少年「カムクワンバ」さんのストーリーも有名です。「風をつかまえた少年」として映画化もされました。

サブサハラ地域は今後、急速な経済発展および人口増加が予測されています。再生可能エネルギーを利用したエネルギーの安定供給は、貧困の根絶、格差の是正、そして経済発展に大きく寄与するでしょう。

MEMO

水力エネルギー

地域活性に一役買うも
環境への影響は？

水は私たちの暮らしにおいて欠かせないものです。飲み水としてだけではなく、農業のため、料理のため、そして工業のためにも必要不可欠です。

豊かな水資源を持つ日本では、昔から水のエネルギーを利用してきました。日本の国土は、3分の2が山地で占められています。山地に降り注いだ雨は川となり、重力に従って海へと流れます。製粉や精米、紡績など様々な形で、その水の流れる力を利用してきました。

現在、その多くの役割は化石燃料を中心とした動力源に取って代わられてしまいましたが、サステナビリティの観点から水力エネルギーが見直されつつあります。

水力エネルギーの概要

水は重力に従い、上から下へと流れます。その水の流れるエネルギーを利用して水車を回して発電するのが水力発電です。

1 水力エネルギーの分類

水力エネルギーは、規模の観点で分類すると、大規模なダムを建設して発電する大型水力発電、そして河川や用水路、下水道などを利用して発電する中小水力発電があります。

また、仕組みの観点で分類すると、大きく分けて以下の3種類があります。

●水路式（流れ込み式）

水路式は、人類が古来より活用してきた方法で、川や水路の流れをそのまま活用します。つまり、水の流れがあるところに水車を設置し、流れの力で水車を回して発電します。発電量は水の流量に応じます。

●調整池・貯水池式

調整池・貯水池式は、河川の流れをダムなどの調整池・貯水池で堰き止め、その水を放流する際の力を利用して発電します。放流の時間や量を調整することで、発電量を調整することができます。

降水量が少ない時期に備えて豊水期に貯水することで、年間を通じ需要に合わせた電力供給を可能にしています。

また、豊水期に貯めた水は、降水量の少ない時期における飲料水や農業用水の源としても役に立っています。

●揚水式

揚水式では、貯水池を上流と下流に設置し、上流の池から下流の池へと水を流すことで発電します。電力需要の少ない夜間などに、余った電力を使って下流の池の水を上流へと汲み上げ、電力需要の高まりに備えることができます。ある種の蓄電池のような役割を担うことが特徴です。

FIGURE 87 水路式（流れ込み式）水力発電の仕組み

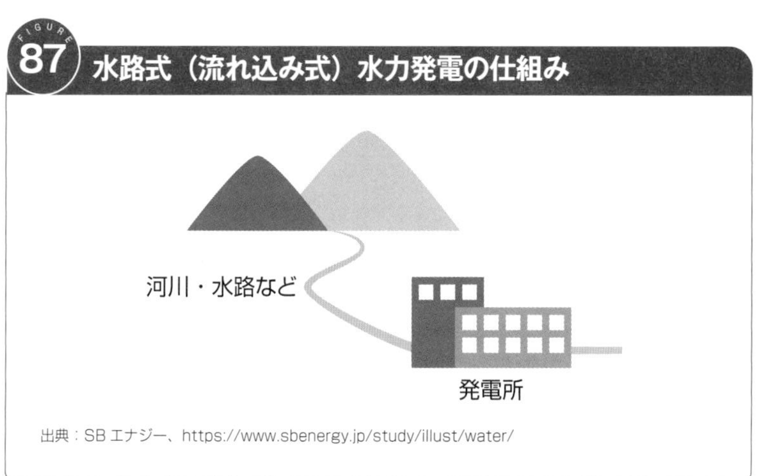

出典：SB エナジー、https://www.sbenergy.jp/study/illust/water/

FIGURE 88 調整池・貯水池式水力発電の仕組み

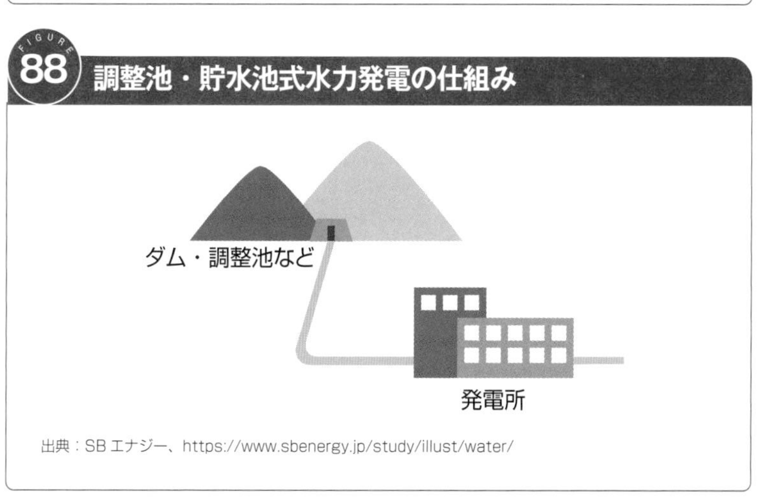

出典：SB エナジー、https://www.sbenergy.jp/study/illust/water/

FIGURE 89 揚水式水力発電の仕組み

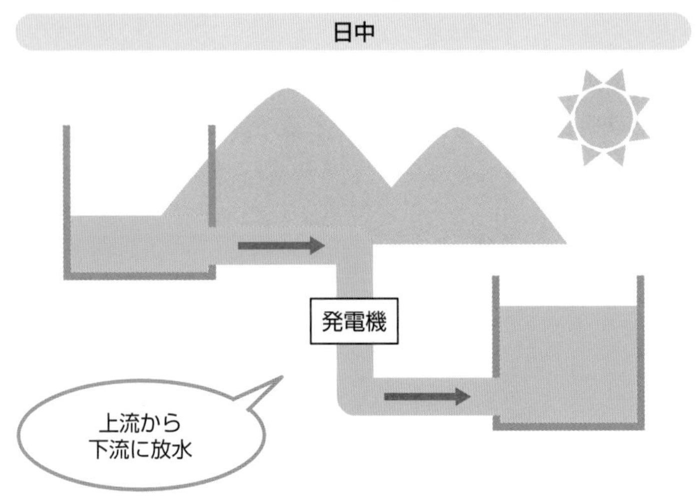

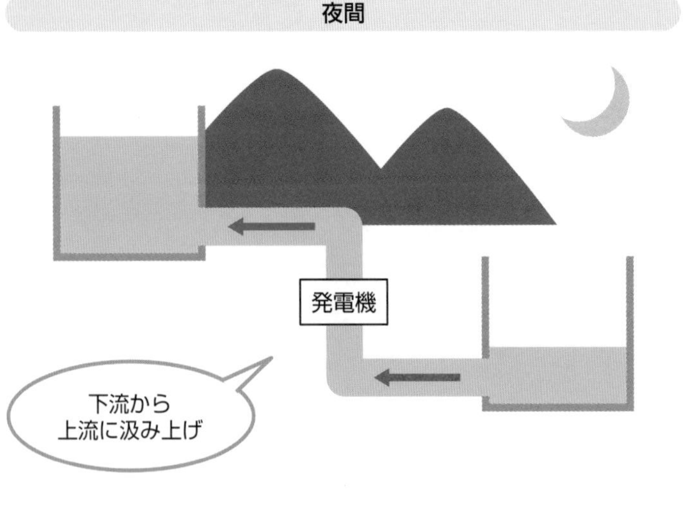

出典：SB エナジー、https://www.sbenergy.jp/study/illust/water/

導入状況・導入ポテンシャル

従来、水力発電と言えば、大規模ダムを建設して発電する大規模水力発電でしたが、近年は手軽に設置できる中小型水力発電のポテンシャルに注目が集まっています。

1 水力発電の導入状況

豊富な降水量や外来河川を持つ多くの国では、経済発展に伴い巨大なダムを建設し、経済成長に必要となる電力を賄ってきました。一方、日本においてはダムの建設が可能な場所はすでに開発されており、新たなダム建設が可能な場所は限定的です。

再生可能エネルギーの**固定価格買取制度**の後押しもあり、近年では中小水力発電の導入が進んでいます。現在でも設備容量はゆるやかに増加しており、2020年現在、日本の水力発電導入量は世界第7位となっています。

2 水力発電の導入ポテンシャル

豊富な降水量、かつ山がちな地形を活かし、日本では水力発電のさらなる導入が期待されています。一方、大規模水力発電が建設できる場所が限られていることから、既存ダムの活用や、中小規模の水力発電の導入が推進されています。

現在、既存ダムのうち75%は発電に利用されていません。したがって、既存ダムに発電設備を設置し発電に利用することができれば、新たに多大なコストや環境負荷をかけてダムを建設することなく、発電容量を伸ばすことができます。

また、農業用水や下水道など、規模は大きくないものの水の流れがある場所での水力発電も大きなポテンシャルがあると言えるでしょう。大規模水力発電とは異なり、ダムを建設する必要がなく、比較的手軽に設置することができるため、日本各地に開発余地があります。

FIGURE 90 日本の水力発電設備容量の推移

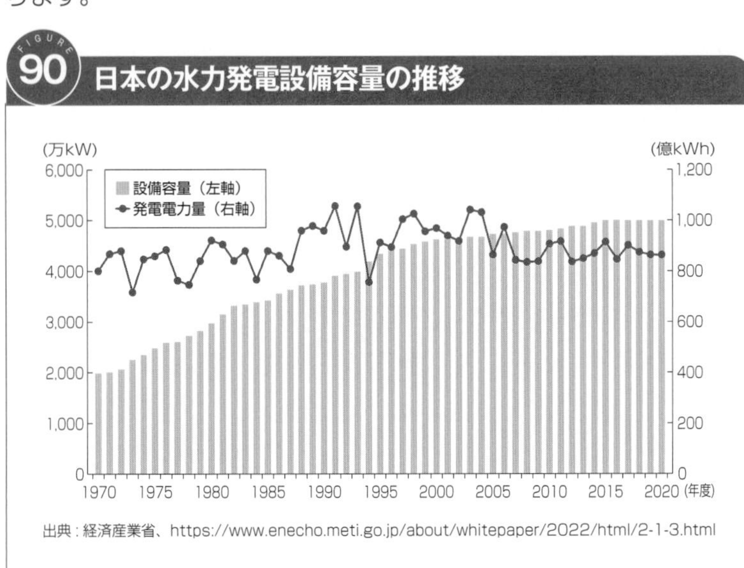

出典：経済産業省、https://www.enecho.meti.go.jp/about/whitepaper/2022/html/2-1-3.html

FIGURE 91 既存ダムの利用状況

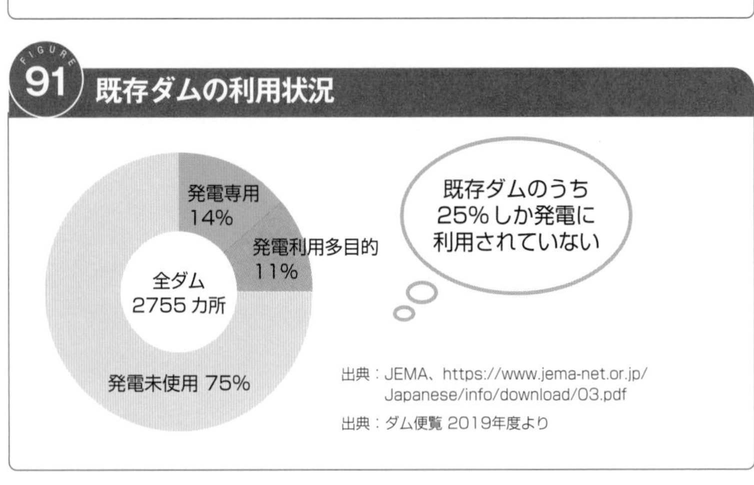

出典：JEMA、https://www.jema-net.or.jp/Japanese/info/download/03.pdf
出典：ダム便覧 2019年度より

水力エネルギー利用のメリット

地域や季節によって多少の差はあるものの、他の再生可能エネルギーと比較して安定した電力供給を実現してくれるのが水力エネルギーです。

1 環境に優しく、枯渇しない

水力発電は、発電時にCO_2や大気汚染物質を排出しない、クリーンな発電方法です。また、人間の手による上流での取水や深刻な気候変動の発生等がない限り、発電のための水が枯渇することはありません。

2 安定した電力供給

特に大規模ダムによる水力発電の場合、豊水期に水を蓄えることができるため、年間を通じて安定した発電量を保つことができます。基本的に天候や昼夜を問わず発電が可能なため、ベースロード電源に位置づけられています。

3 様々な副次効果

大規模水力発電の場合、ダムを建設することで様々な副次効果が得られます。例えば､川の流れをダムで堰き止めて流量をコントロールすることにより、洪水の防止に貢献できます。あるいは、渇水期に備えて水を蓄えることにより、飲料水や農業・工業用水を安定的に供給することができます。

4 地産地消による地域活性

中小規模の水力発電の場合、大規模ダムの建設が必要ないため投資金額も小さく済みます。したがって、地域主導で水力発電を開発することができ、地域の活性化につなげることができます。

水力発電関連の雇用の創出や、余剰電力の販売、および売電利益の地域への還元など、国や大企業に主導権を握られることなく、地域主導での地域活性が可能となることがポイントです。

FIGURE 92 多様なダムの役割

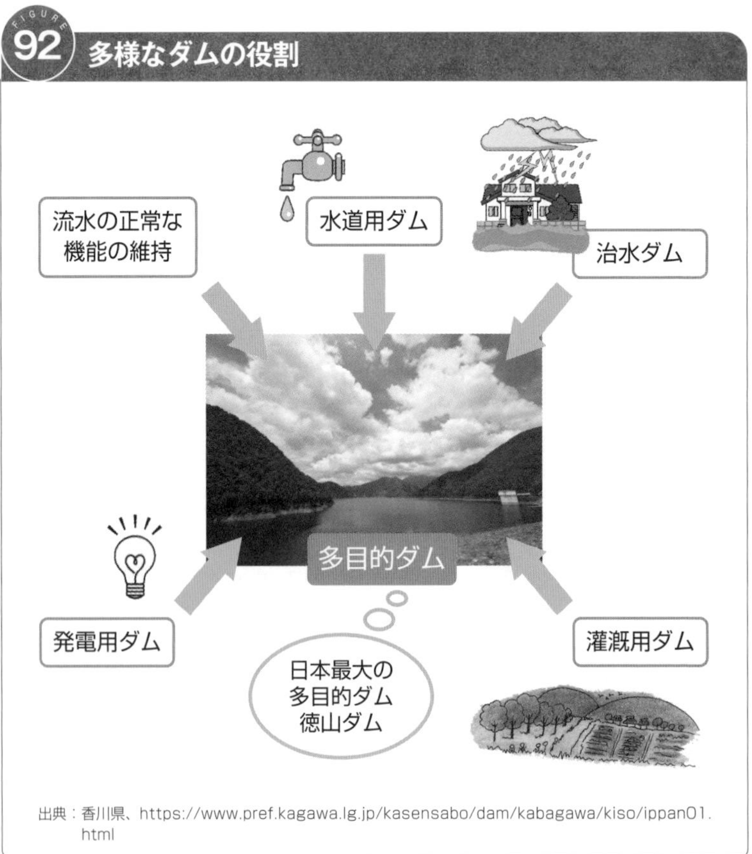

出典：香川県、https://www.pref.kagawa.lg.jp/kasensabo/dam/kabagawa/kiso/ippan01.html

水力エネルギー利用の問題と課題

水力発電は、日本においても自給でき、安定かつクリーンな発電方法ですが、特に大規模水力発電所の建設にあたっては課題もあります。

1 自然環境への影響

ダム建設にあたり、大きく自然に手を加えることになります。河川の流れを堰き止め、陸地を水の底に沈める必要があるためです。

元来、ダム建設地に生息していた陸上生物は、水の底では生息できず、また、河川とダムでは水中の環境も異なります。したがって、当該地域の生態系に多大なる影響を与えると言えるでしょう。

また、河川を堰き止めることにより、下流域あるいは沿岸部の自然環境にも影響を及ぼします。水勢がゆるやかになり、川幅が狭くなったり、川底へ土砂が堆積したりします。また、海に流れ出る土砂が減少し、砂浜が徐々に小さくなる可能性もあります。

2 地域住民への影響

大規模ダム建設地が、居住地と重なる場合、その地域の住民は地域ごと転居を強いられます。したがって、ダム建設にあたっては、地域住民の理解が必要不可欠となります。

また、水の利用に際しては、既存の**水利権**も絡んできます。河川の水は、古来から飲料用、工業・農業用など、様々な用途で流域住民に利用されてきました。水力発電用に水を利用するにあたり、利権問題は解決すべき課題です。

3 コスト

近年、中小水力発電の利用が促進されています。ただし、未開発の地域で水力発電を導入すると、コストが大きくなるリスクがあります。設置場所が山奥で建設・送電コストが嵩んでしまったり、小規模であるため投資の回収期間が長くなる可能性があります。

FIGURE 93 砂浜侵食のイメージ

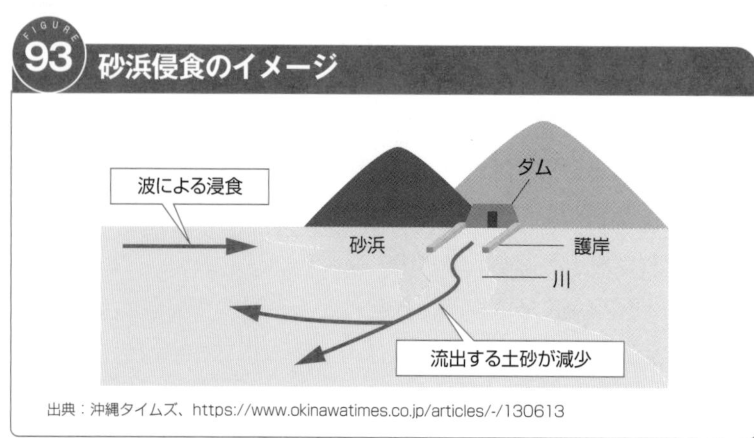

出典：沖縄タイムズ、https://www.okinawatimes.co.jp/articles/-/130613

FIGURE 94 中小水力発電のコスト

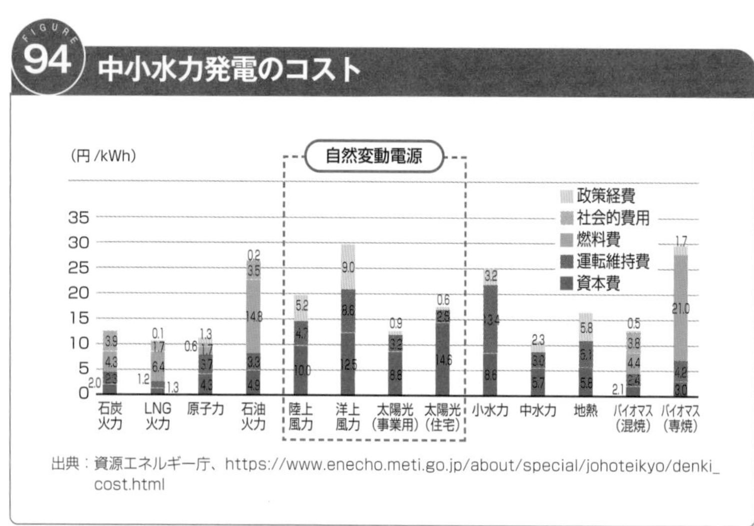

出典：資源エネルギー庁、https://www.enecho.meti.go.jp/about/special/johoteikyo/denki_cost.html

水力エネルギーを巡る世界の動向

大きな河川を持つ国では、水力発電の導入が盛んです。世界各国の動向を見ていきましょう。

1 日本

豊富な降水量と高低差のある山々を持つ日本では、大規模ダムによる水力発電の導入が推進されてきました。結果として、2020年末時点での水力発電導入量は世界第7位（世界全体の約4%）です。

また現在では、固定価格買取制度や、発電設備の建設・運営のための**電源立地地域対策交付金**＊といった助成金により、中小規模の水力発電の導入が促進されています。

2 アメリカ

アメリカのエネルギー省は、カーボンニュートラル実現のため、水力発電施設の建設・運営だけでなく、研究開発（R&D）や、技術開発のためにも多額の助成金を出し、国を挙げて水力発電の導入拡大に取り組んでいます。

広大な国土に流れる大規模河川での発電が盛んで、中国・ブラジルに次いで第3位の水力発電量を誇ります。

＊**電源立地地域対策交付金**　発電用施設の立地地域や周辺地域で行われる公共用施設整備や住民福祉の向上に資する事業に対して交付される交付金。

3 中国

世界で3番目に大きい河川である長江を有する中国では、長江流域に複数の巨大水力発電所を建設しており、世界トップの水力発電量を誇ります。再生可能エネルギー5か年計画を公表し、国主導で再生可能エネルギーの導入を進めている中国は、今後も継続して水力発電の拡大を推進していくでしょう。

FIGURE 95 世界の水力発電導入量

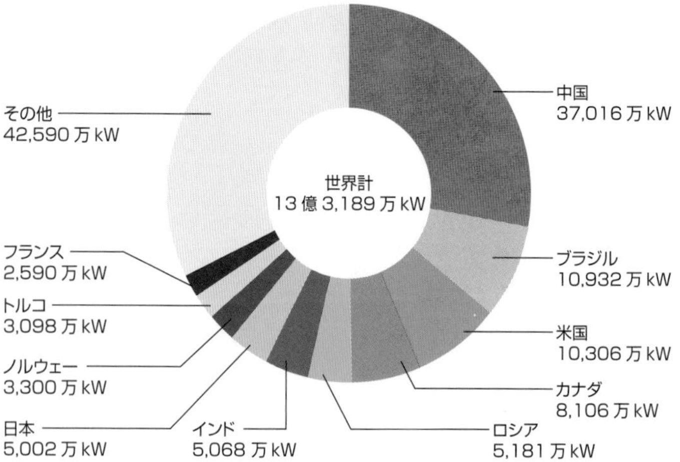

出典：経済産業省、https://www.enecho.meti.go.jp/about/whitepaper/2022/html/2-1-3.html

＊**グリーン電力**　自然エネルギーから生まれた、環境負荷の少ない電力。風力，太陽光，地熱などを指す。

4 EU

ヨーロッパにおいては、アルプス山脈を有するフランス・イタリアや、起伏の多い国土を有するスペインでの水力発電が盛んです。**グリーン電力**＊の普及を推進するEUにおいては、中小水力発電のポテンシャルにも注目が集まっています。

FIGURE 96 主要各国の種別発電構成の比較

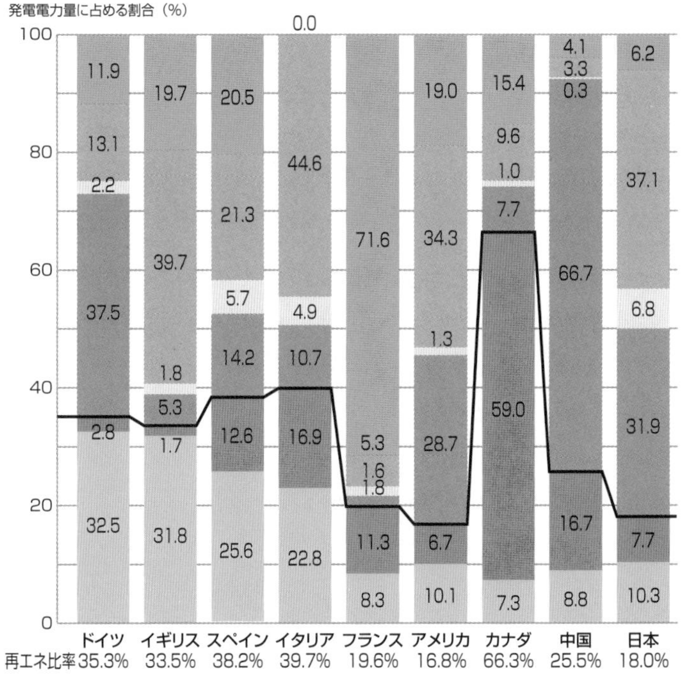

発電電力量に占める割合（%）

	ドイツ	イギリス	スペイン	イタリア	フランス	アメリカ	カナダ	中国	日本
原子力	11.9	19.7	20.5	0.0	71.6	19.0	15.4	4.1	6.2
天然ガス	13.1	39.7	21.3	44.6	5.3	34.3	9.6	3.3	37.1
石油その他	2.2	1.8	5.7	4.9	1.6	1.3	1.0	0.3	6.8
石炭	37.5	5.3	14.2	10.7	1.8	28.7	7.7	66.7	31.9
水力	2.8	1.7	12.6	16.9	11.3	6.7	59.0	16.7	7.7
再エネ（水力除く）	32.5	31.8	25.6	22.8	8.3	10.1	7.3	8.8	10.3
再エネ比率	35.3%	33.5%	38.2%	39.7%	19.6%	16.8%	66.3%	25.5%	18.0%

出典：経済産業省、https://www.enecho.meti.go.jp/about/pamphlet/pdf/energy_in_japan2021.pdf（p14）

Column

ダム建設で歴史的遺産の大移動!?

1970年、世界一長い大河川、エジプトのナイル川にて大規模ダム「アスワンハイダム」が完成しました。アスワンハイダムの建設によりナイル川の氾濫を抑えると共に、水力発電設備を設けることで不安定なエジプトの電力事情を改善させる目的があり、エジプト国民からは大いに期待されていました。

しかし、世界4大文明の1つであるエジプト文明の栄えていたナイル川沿いのエジプトには、多くの歴史的遺産があります。その1つが「アブシンベル神殿」です。世界的にも有名なファラオである「ラムセス2世」によって紀元前1300年頃に岩山を削って建設されたアブシンベル神殿は、アスワンハイダムの建設に伴い、ダムの底に沈んでしまうという想定でした。

しかしながら、歴史的に非常に価値のある遺跡を経済活動の犠牲にするのはどうなのかという議論が巻き起こり、ユネスコ主導の国際キャンペーンが展開されました。結果として、世界各国からの多額の援助の下、アブシンベル神殿は複数のブロックに切り分けられ、移設されました。この出来事をきっかけとして、「世界遺産」が創設されました。

各ダムには、大なり小なりこうしたエピソードがあります。ダムを訪れた際には、建設エピソードを調べてみて、水の底にあった世界に想いを馳せてみましょう。

複数のブロックに
切り分けられて
移動しました。

▲アブシンベル神殿

地熱エネルギー

地熱ポテンシャルは日本が世界トップ？

火山列島である日本には、古来から温泉文化が根づいています。温泉の湧き出る地域は人々の憩いの場となり、温泉街が形成されてきました。温泉街には遠方からも人が集い、地域にお金を落とすことで経済が回ります。

一方、温泉を生み出すマグマの熱エネルギーは、温泉街の形成だけでなく、発電に利用することもできます。ここでは地熱発電について解説します。化石資源には乏しい日本ですが、地熱資源という観点では世界でもトップクラスの保有量を誇ります。

地熱エネルギーの利用に際して、温泉との兼ね合いやコストの面など様々な課題がありますが、大きなポテンシャルを有すると言えるでしょう。

地熱エネルギーの概要

火山を有する国において、地熱エネルギーの利用には大きな期待が寄せられています。火山列島である日本においても例外ではなく、地熱発電所の建設に向け、国家レベルで様々な検討がなされています。

1 地熱発電の仕組み

地中のマグマにより熱せられた地下水が蓄えられている地熱貯留槽から、熱水および蒸気を抽出し、分離した蒸気でタービンを回すことで発電します。タービンを回した後の蒸気は、温水として再利用が可能です。農業用ビニールハウスの熱源や、暖房、温水プール、温泉などで活用されています。

2 フラッシュ発電方式

フラッシュ発電方式は、約200度以上の高温蒸気を用い、直接タービンを回して発電する発電方式です。ほとんどの日本の地熱発電所では、フラッシュ発電方式を採用しています。地中から抽出した熱水と蒸気を分離する回数に応じ、1度のみ分離を行うシングルフラッシュ発電方式と、2度の分離を行うダブルフラッシュ発電方式に分かれます。海外では、3度行うトリプルフラッシュ発電方式も導入されています。回数が増えるほど、出力は増加します。

3 バイナリー発電方式

バイナリー発電方式は、地熱流体の温度が200度に満たない場合に用いられます。中低温では、タービンを直接回すほどの力がないため、水よりも沸点の低いペンタンなどの二次媒体と熱交換を行い、二次媒体の蒸気を用いてタービンを回して発電します。

現在、経済産業省に新エネルギーとして定義されている地熱発電方式はバイナリー発電方式のみです。

FIGURE 97 フラッシュ発電方式の仕組み

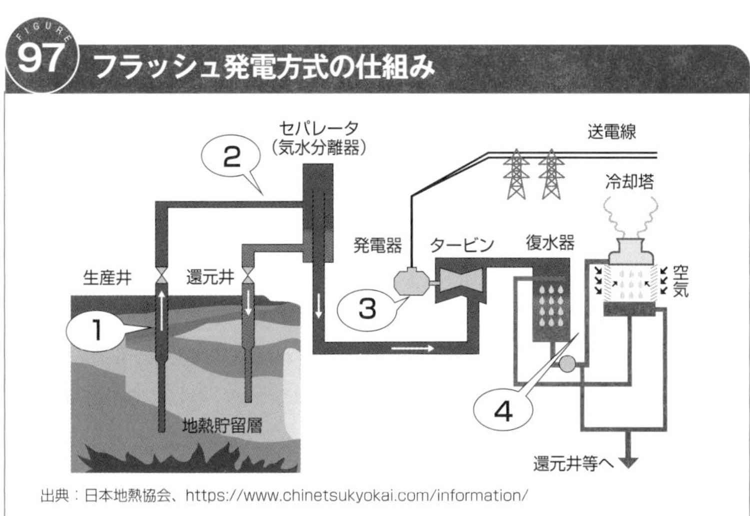

出典：日本地熱協会、https://www.chinetsukyokai.com/information/

FIGURE 98 バイナリー発電方式の仕組み

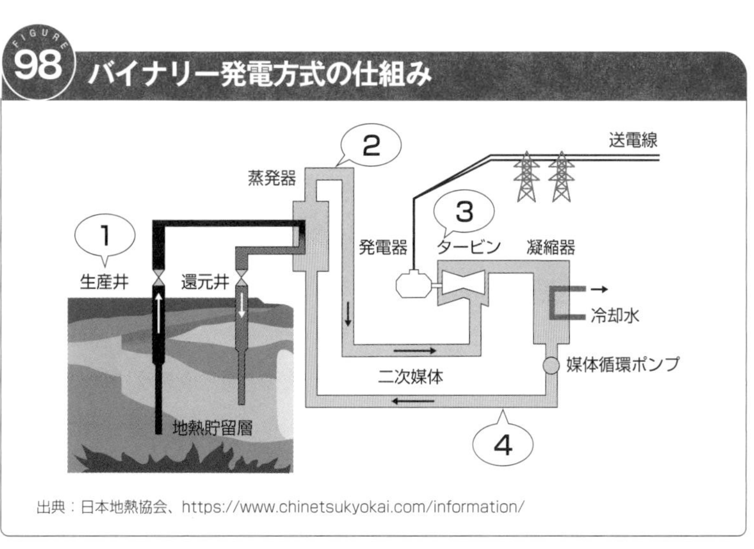

出典：日本地熱協会、https://www.chinetsukyokai.com/information/

導入状況・導入ポテンシャル

日本は世界第3位の地熱資源量を有するものの、地熱発電の導入は進んでいません。地熱発電の盛んな国の政策を学び、ポテンシャルを活かす道を探っていく必要があります。

1 地熱発電の導入状況

火山を有する多くの国において、地熱発電の導入が推進されています。地熱発電の開発にかかる時間が長いため増加スピードはゆるやかですが、その導入量は世界的に増加しています。

一方、日本における地熱発電の導入量は限定的です。地熱発電の開発にかかるコストの大きさもさることながら、日本における地熱発電の適地が、温泉街や国立公園と重複していることも開発を妨げている要因となっています。また、固定価格買取制度の導入以降は、開発期間が短く、開発コストも小さいバイナリー発電方式の導入が増加しています。バイナリー発電方式は、小規模で温泉街とも共存できるため、さらなる導入が期待されています。

2 地熱発電の導入ポテンシャル

日本における地熱発電の導入ポテンシャルは、環境省の試算によると、2020年時点の導入量の約27倍に上るとされています。

一方、地熱発電の開発にはコストも時間もかかるため、政府主導の支援が必要です。経済産業省は、**資源量調査・理解促進事業費補助金**や地熱発電や地中熱等の導入拡大に向けた技術開発事業といった補助金の予算を組み、地域住民の理解や技術開発の支援を通じ、地熱発電の導入を後押ししています。

主要国における地熱資源量および地熱発電設備容量

国名	地熱資源量（万kW）	地熱発電設備容量（万kW）2020年予測
アメリカ合衆国	3,000	370
インドネシア	2,779	229
日本	2,347	61（2021年末時点）
ケニア	700	119
フィリピン	600	192
メキシコ	600	101
アイスランド	580	76
エチオピア	500	1
ニュージーランド	365	106
イタリア	327	92
ペルー	300	0

出典：経済産業省、https://www.enecho.meti.go.jp/about/whitepaper/2022/html/2-1-3.html

100 地熱発電の導入ポテンシャル

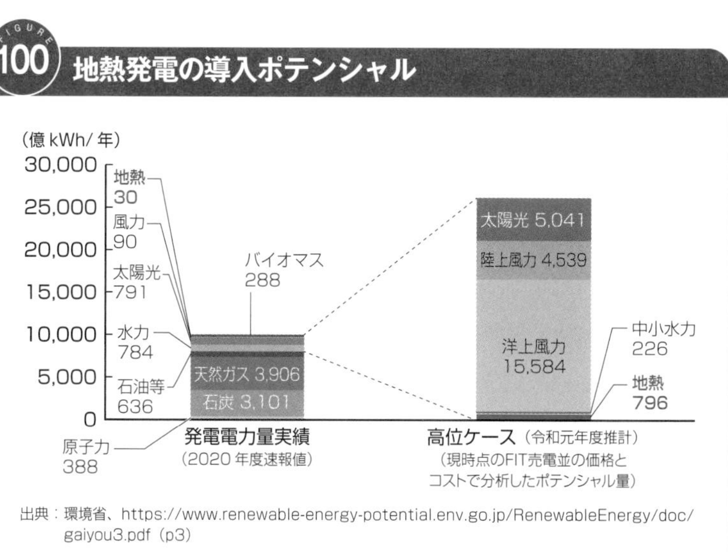

出典：環境省、https://www.renewable-energy-potential.env.go.jp/RenewableEnergy/doc/gaiyou3.pdf（p3）

CHAPTER 9

3 地熱エネルギー利用のメリット

地熱発電の開発には多大なコストと時間がかかりますが、それを上回るだけのメリットもあります。詳しく見ていきましょう。

1 環境に優しく、枯渇しない

地熱発電は、発電に際してCO_2や大気汚染物質を排出しない、クリーンな発電方法です。また、地中の熱をエネルギー源とするため、基本的に枯渇しません。

2 昼夜・季節を問わず発電できる

地熱エネルギーは、季節や昼夜、あるいは天候を問わず、年間を通じて一定のエネルギーを供給してくれます。したがって、他の再生可能エネルギーと比較して設備利用率が高く、経済産業省にベースロード電源として位置づけられています。

3 エネルギー源が日本国内に豊富

環太平洋造山帯の火山列島を構成する日本列島は、地熱資源が豊富です。日本各地に活発な熱源があり、地熱発電への利用ポテンシャルが大きいと言えるでしょう。

また、日本において自給可能なエネルギー源として、安全保障上も重要です。化石燃料とは異なり、海外にエネルギー源を依存する必要がないため、地熱発電の推進は国家の安定にも繋がります。

4 蒸気・熱水の再利用が可能

地熱発電に利用した蒸気・熱水は、様々な用途に再利用が可能です。蒸気・熱水は、タービンを回す、あるいは二次媒体を温めることだけに利用されるため、他の物質に汚染されません。

温泉や温水プールへの利用、地域の暖房への利用、農業用のハウスへの利用など、様々な用途で再活用されています。

FIGURE 101 日本の主な地熱発電所の所在地

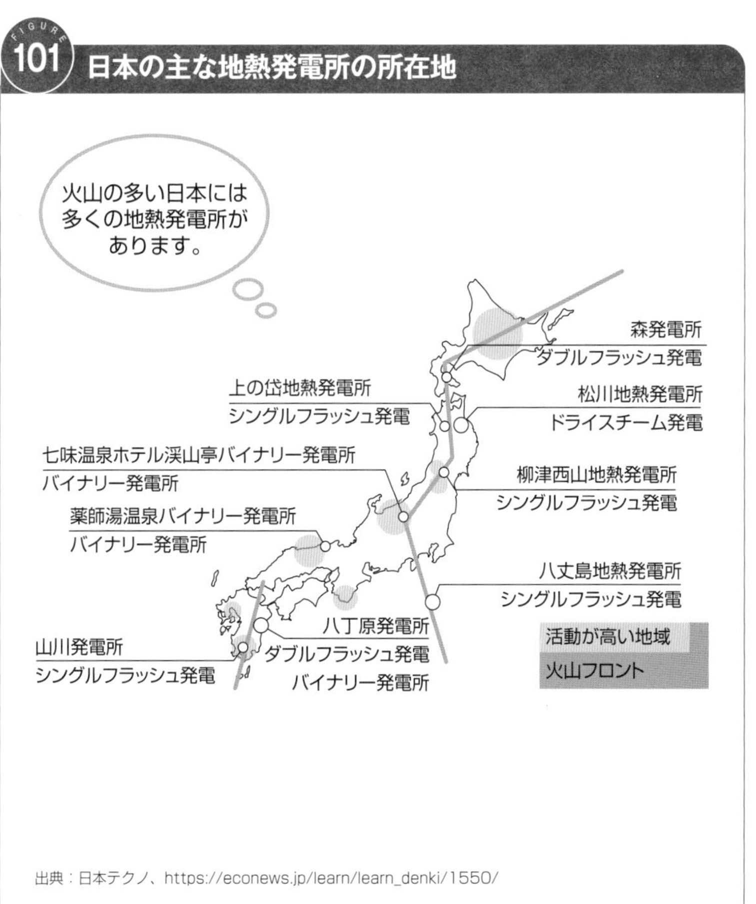

出典：日本テクノ、https://econews.jp/learn/learn_denki/1550/

地熱エネルギー利用の問題と課題

火山列島である日本において、地熱エネルギーはとても魅力的なエネルギー源のように感じます。しかし、問題・課題も数多くあります。

1 温泉街・国立公園とのバッティング

地熱発電所に適する場所の多くは、温泉街あるいは国立公園と重複しています。温泉街に巨大な地熱発電所を建設することによる景観上の課題や、地中の蒸気・熱水を抽出することによる温泉の質や量への影響を懸念し、地熱発電所の導入が進んでいません。温泉法による制限もあります。現在では、政府が主導し、地域の理解促進のための補助金の捻出や、温泉街との共存が可能な小規模バイナリー発電方式の導入を進めています。

また、国立公園は自然景観を維持するため**自然公園法**により、区域内での行動が制限されています。近年では開発規制が緩和され、国立公園内の区域や地表への影響など一定の条件をクリアすれば国立公園内でも地熱発電所の建設が可能となっています。

2 開発期間が長く、開発コストが高い

地熱発電所の建設には、初期調査から運用まで10年近くかかります。熱源は地表からは明示的でないため、実際に掘ってみないと運用に値するだけの熱源を有するかわからないことも一因です。

また、建設候補地が温泉街や国立公園内であることも多く、利権者との交渉や、自然への影響アセスメントなどに時間がかかります。様々なプロセスを経て運用に至るため、その分コストもかかります。

3 発電効率が悪い

地熱発電は、年間を通じて安定的に発電できるものの、エネルギーの変換効率は高くありません。最も発電効率の高い水力発電と比較すると、その発電効率は10分の1程度です。

FIGURE 102 地熱発電の開発期間・プロセス

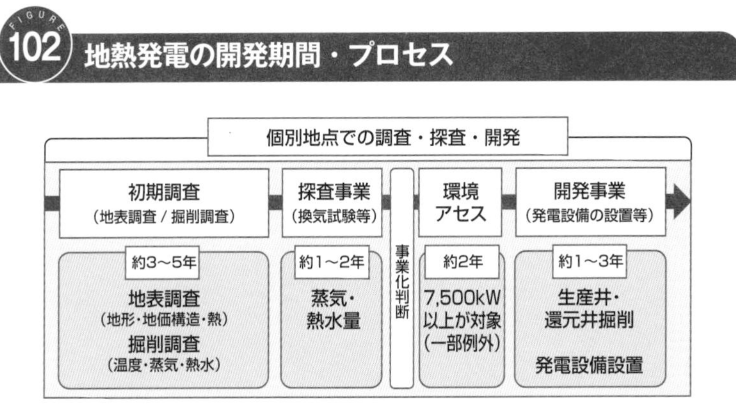

出典：経済産業省、https://www.enecho.meti.go.jp/about/special/johoteikyo/chinetsuhatsuden_yuzawa02.html

FIGURE 103 発電方式別にみたエネルギー変換効率

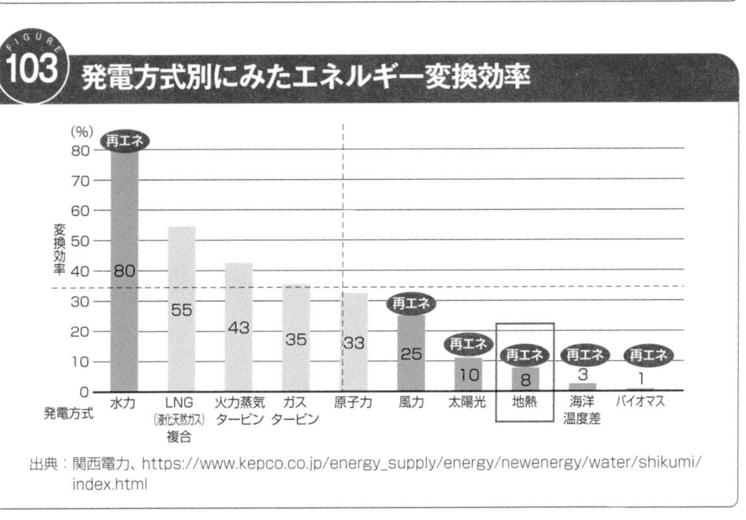

出典：関西電力、https://www.kepco.co.jp/energy_supply/energy/newenergy/water/shikumi/index.html

地熱エネルギーを巡る世界の動向

地熱発電の発電導入量が上位の国々は、いずれも火山を有する国です。詳しく見ていきましょう。

1 日本

環太平洋造山帯に位置する日本は、豊富な地熱資源を有します。一方、導入量は依然として大きくなく、政府により導入の後押しがなされています。また、地熱発電用タービンのシェアは、2015年時点で日本のメーカーが世界の約6割を占めます。

2 アメリカ

世界最大の地熱発電量を誇るアメリカは、西海岸が環太平洋造山帯の一部であり、多くの火山を有します。特にカリフォルニア州・ネバダ州での地熱発電が盛んで、多くの地熱発電所がこれらの州に集中しています。一方、地熱発電所を他州にも拡大するため、アメリカ政府は研究開発プロジェクトに多額の助成を行っています。

3 インドネシア

地熱発電導入量の伸びが著しい国の代表例が、日本と同じく火山列島であるインドネシアです。インドネシアでは、国を挙げて地熱発電導入拡大を推進しており、2030年までに2020年の倍以上の発電容量を目指す計画を立てています。地熱発電に関する法整備や、税制上の優遇政策などを通じ、国と民間企業が一体となって取り組みを進めています。

4 ケニア

ケニアの発電量に占める地熱発電の割合は40% 強となっており、地熱発電を主要なエネルギー源としています。大地溝帯と呼ばれる巨大な谷周辺ではマントルの対流が盛んで、複数の活火山も有しています。JICA や総合商社、タービンメーカーなど、日本の協力・支援を経て、地熱大国へと変貌しました。

FIGURE 104 世界の地熱発電導入量

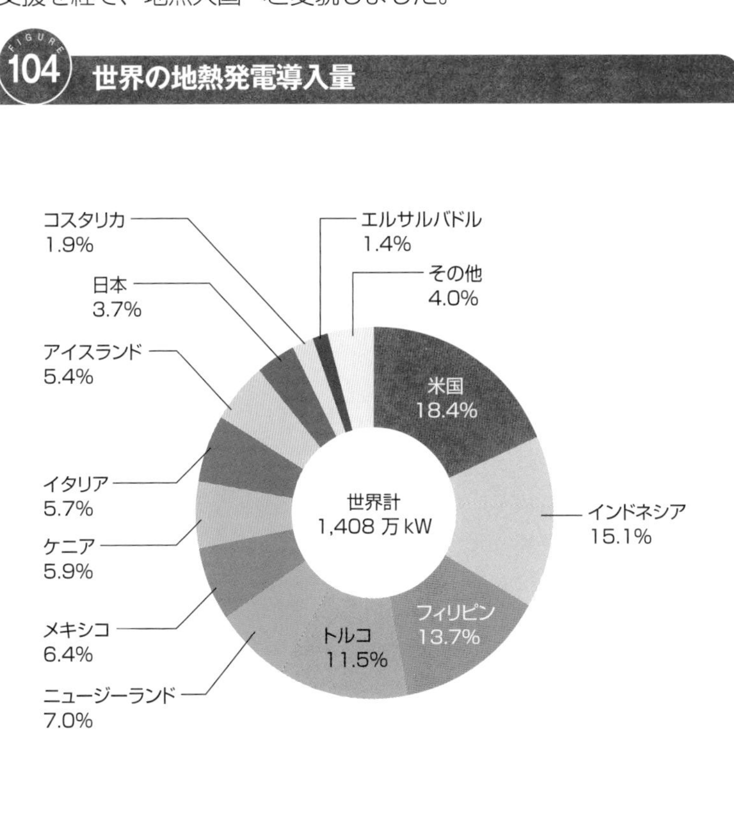

出典：経済産業省、https://www.enecho.meti.go.jp/about/whitepaper/2022/html/2-1-3.html

資料：Gerald W.Hutter（2020年）「Geothermal Power Generation in the World 2015-2020 Update Report」を基に作成資料

ECO検定で実践的な学びを！

「ECO検定」をご存じですか？　世の中には多種多様な資格検定がありますが、環境に関わる検定もあります。それが「ECO検定」です。正式名称は「環境社会検定試験」で、東京商工会議所が主催する検定です。

ECO検定は、環境に関する入門検定で、自然環境や環境問題、エネルギー、政策、社会·経済との関係、そして時事問題など、環境に関する幅広い知識が問われます。ECO検定に合格すると「エコピープル」の称号を得ることができ、就職や転職、昇進のためのアピールだけでなく、環境の専門家として自らの知識を証明するために使えます。

現在、「環境」は世界的なトレンドです。特にヨーロッパにおいては、広く一般市民にも環境意識が広がってきています。しかし、特に日本においては、まだまだ環境に関する知識は広がっていないのが現状です。このような状況下でECO検定を取得することで、自分の価値を高め、様々な「きっかけ」を掴むことができるでしょう。

カーボンニュートラルに向け、世界が一丸となって取り組みを進めている現在、環境に関する知識は欠かせない教養です。ぜひ本書を通じて得た知識を、ECO検定の受験を通じて知識として蓄え、ECO検定合格という形として残してみてください。

そして、資格を取得しただけで終わらせず、常にアンテナを伸ばして最新の情報を手に入れると共に、新たなチャレンジをしてみてください。知識と実践の組み合わせにより、想像もしていなかったような新たな世界に踏み出せるかもしれません。

バイオマスエネルギー

ゴミから生み出す 新エネルギーに期待？

私たちは、古くからバイオマスを活用してきました。薪を集めて燃やすことで暖を取ったり、料理に活用したりと、古くから生物由来のエネルギー源を利用しています。

特に日本においては、「里山」と呼ばれる人間と自然の共生地域が形成され、森林、田んぼ、畑、そして集落における生活を営む中で、バイオマスを上手く活用してきました。

現在、多くの先進国では都市と自然が分断され、直接的にバイオマス資源を活用する場面は多くありません。一方で、商業的にバイオマスエネルギーの生産を行い、環境に優しいエネルギー源として活用する動きが出てきています。

元来、自然と共に生活してきた人間の生活は、産業革命を経て自然と分断されつつありました。昨今のカーボンニュートラル、サステナビリティといった環境系のトレンドを受け、以前とは異なる形で自然と共生できる道を探る、次なる過渡期が到来しています。バイオマスは、次なるステップに進む、その一助となるでしょう。

バイオマスエネルギーの概要

私たちは、古来から動植物由来のエネルギーを利用してきました。近年、それらはバイオマスと名づけられ、改めてその存在価値が見直されています。

1 バイオマスエネルギーとは

バイオマスエネルギーとは、動植物に由来するエネルギーのうち、化石資源を除いたものを指します。バイオマスのバイオは「bio=生物」を指し、マスは「mass=量・塊」を指します。簡単に言い換えると、動物や植物に由来するモノをバイオマスと呼んでいます。

具体的には、間伐材や建築資材などの木材、食品廃棄物、稲わらやもみ殻などの農業残渣、家畜の排泄物など、今まで捨てられてしまっていたものがバイオマス資源として活用されています。

近年では、バイオマスエネルギー用にトウモロコシなどの穀物やミドリムシといった微生物が大規模に育てられ、バイオマス資源として利用されています。

2 バイオマスエネルギー利用の流れ

バイオマスエネルギーは、基本的には、バイオマス資源をエネルギー利用しやすい形に変換し、それをさらに熱や電気に変換することで利用します。間伐材や木材加工工場から排出されるおがくず、端材などは、粉砕・圧縮され、木材ペレット等の個体燃料として利用されます。ストーブなどにくべ、暖を取るため等に利用されています。家畜排泄物や食品廃棄物は、発酵させることでメタンを抽出し、気体燃料としてバイオマス発電などに利用されています。

また、トウモロコシなどの穀物やミドリムシからは、**バイオエタノール**を精製することができます。バイオエタノールは汎用性が高く、自動車や飛行機の燃料としての活用が期待されています。

FIGURE 105 バイオマスの種類

	木質系	農業・畜産・水産系	建築廃材系
乾燥系	林地残材 製材廃材	農業残渣 （稲わら・トウモロコシ残渣・もみ殻・麦わら・バガス） 家畜排泄物 （鶏ふん）	建築廃材
	食品産業系		生活系
湿潤系	食品加工廃棄物 水産加工残渣	家畜排泄物 牛豚ふん尿	下水汚泥 し尿 厨芥ごみ
	製紙工場系		
その他	黒液・廃材 セルロース（古紙）	糖・でんぷん 甘藷・菜種 パーム油（やし）	産業食用油

出典：経済産業省、https://www.enecho.meti.go.jp/category/saving_and_new/saiene/renewable/biomass/index.html

FIGURE 106 バイオマスエネルギー利用の流れ

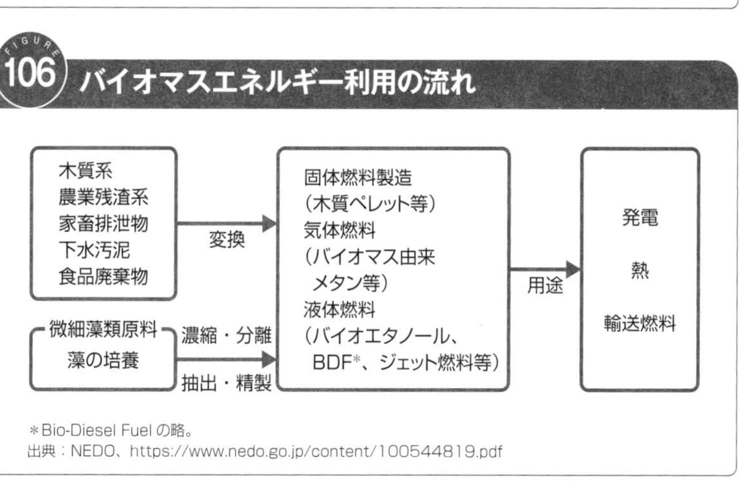

導入状況・導入ポテンシャル

バイオマスエネルギー市場は徐々に拡大しており、技術の進展により、さらなる導入加速が期待されています。

1 バイオマスエネルギーの導入状況

日本におけるバイオマスエネルギー利用は、徐々に増加しています。2009年に**バイオマス活用推進基本法**が制定され、2016年には新たな**バイオマス活用推進計画**として新たにバイオマス利用の目標設定がなされています。

全体の発電量に占めるバイオマス発電の割合はまだまだ小さいですが、今後は大きく拡大するとの予測が出ています。また、バイオマス燃料を用いたバスなどの公共交通機関を目にする機会も増えてきています。

2 バイオマスエネルギーの導入ポテンシャル

現状、コンビニやスーパー、飲食店、そして家庭などから排出される食品廃棄物や、形や品質の問題で消費者に届く前に廃棄されている食品ロスの多くがまったく活用されていません。こうした食品を廃棄せず、資源として活用することができれば、廃棄物を削減できるとともに、エネルギーとして活用することができます。

農業廃棄物や間伐材などの木質系廃棄物に関しても同様です。現在あまり活用されておらず「ゴミ」とみなされているものを「資源」として活用できるポテンシャルがあると言えるでしょう。

また、**ミドリムシ**に代表される新たなバイオマスエネルギーにも注目が集まっています。

現在、**ユーグレナ**がミドリムシを用いたバイオ燃料の実用化を進めており、2021年にはミドリムシを用いたバイオ燃料でのフライトに成功しています。

FIGURE 107 日本におけるバイオマスエネルギー市場の推移・予測

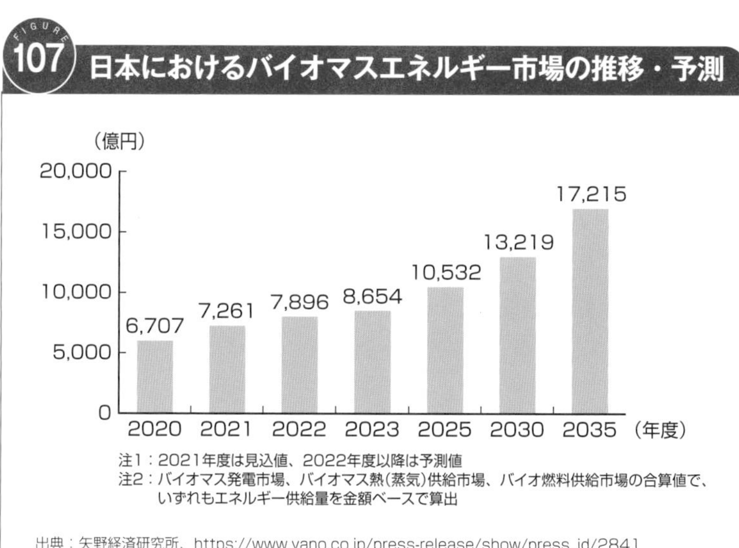

注1：2021年度は見込値、2022年度以降は予測値
注2：バイオマス発電市場、バイオマス熱(蒸気)供給市場、バイオ燃料供給市場の合算値で、いずれもエネルギー供給量を金額ベースで算出

出典：矢野経済研究所、https://www.yano.co.jp/press-release/show/press_id/2841

FIGURE 108 ミドリムシを用いたバイオ燃料の実用化イメージ

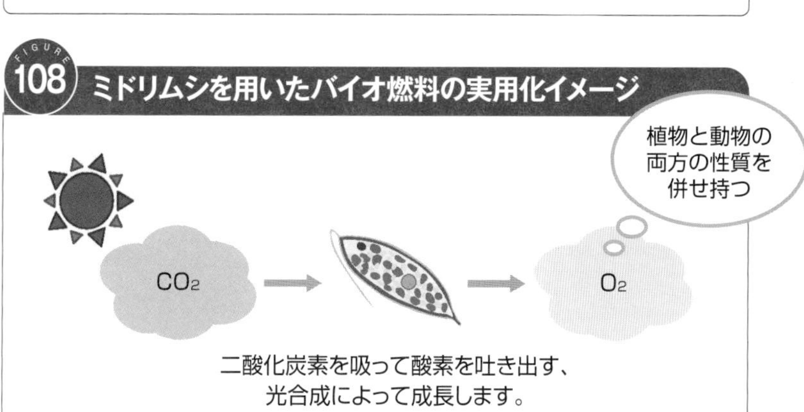

バイオマスエネルギー利用のメリット

何がゴミで何が資源か、その判断基準は人によって異なります。今まではただのゴミに見えたものも、本書を読んだ後では資源に見えるかもしれません。

1 カーボンニュートラル

バイオマス資源は、その多くが植物由来です。植物は成長過程で光合成により CO_2を吸収します。したがってバイオマス資源を燃焼させても、成長過程で吸収した CO_2を排出するだけなので、CO_2はプラスマイナスゼロになります。こうした理由から、バイオマスエネルギーはカーボンニュートラルであるとされています。

2 エネルギーの地産地消

地域で出たコンビニやレストランで余った食べ物や、もみ殻や稲わらなどの農業廃棄物、あるいは地域の森林や工場から出た廃材などを活用したバイオマス発電により、**エネルギー地産地消**を実現できます。

地域のゴミを資源として活用することで、ゴミの削減を実現すると共に、発電した電気を地域で利用したり、固定価格買取制度による売電利益を地域に還元することで、バイオマスを利用した地域活性化を実現することができます。

ベースロード電源になりうる

バイオマスエネルギーは、そのバイオマス資源さえあらかじめ準備しておけば、それを燃やすことで天候・昼夜を問わず発電が可能です。そのため、時間や天気により出力が変動する太陽光や風力発電とは異なり、通常の火力発電と同様にベースロード電源として扱われることもあります。

FIGURE 109 バイオマス循環よる地域経済活性化の例

産業の活性化
SAF
水素自動車
改質リグニン
セルロース
ナノファイバー
バイオマス
プラスチック
都市部

エネルギー等の
地産地消
災害時の
非常電源
CCU・熱利用
バイオ液肥
ペレット堆肥
資源作物
の活用
農山漁村

製
バイオマス
プラスチック等
セルロース等
畜
電気・熱
敷料・飼料
家畜排泄物
街
食品廃棄物
下水汚泥等
電気・熱
耕
電気・熱・CO_2
液肥・堆肥
農作物残渣
水
電気・熱
水産
残渣
林
電気・熱
林地残財
未利用間伐材
製材工場等残材
竹・廃菌床
消費者
消費
生産

調達
生産
加工・流通
消費
マテリアル
利用
エネルギー
利用
新産業
の創出
飼料
・肥料化

バイオマス産業を軸とした
まち・むらづくり
地方公共団体

出典：農林水産省、https://www.maff.go.jp/j/shokusan/biomass/attach/pdf/index-36.pdf

バイオマスエネルギー利用の問題と課題

バイオマスはゴミを資源に変える魅力的なエネルギー源ですが、食べ物との競合など、他のエネルギー源とは異なる問題があります。

1 食料との競合

現在、バイオ燃料の多くは、トウモロコシやサトウキビといった食べ物としても利用される穀物から作られています。豊作の年は大きな問題にはなりませんが、干ばつなどにより不作が続いた場合、食料が不足しているのにも関わらず、エネルギー源として利用するのはどうなのか、という問題が噴出します。また、エネルギー源としての利用価値および需要が高まると、食料としての穀物価格も上昇してしまうという課題もあります。

2 必要コストが大きい

バイオマス発電にかかるコストは、他の再生可能エネルギーと比較しても大きいです。太陽光や風力など、他の再生可能エネルギーによる発電方法では燃料調達が不要です。一方、バイオマス発電では、バイオマス資源を国内外から調達する必要があります。さらにバイオマス資源を発電しやすい形態に加工する必要があるため、コストがさらに高まります。

3 エネルギー変換効率が悪い

バイオマス発電は、ゴミをエネルギー源にすることができる魅力的な発電方法です。しかし、ゴミを発電に利用できる形に変換する過程でもエネルギーを使うため、バイオマス発電のエネルギー変換効率は、他の発電方式と比較しても低いとされています。

FIGURE 110 発電方式別にみたエネルギー変換効率

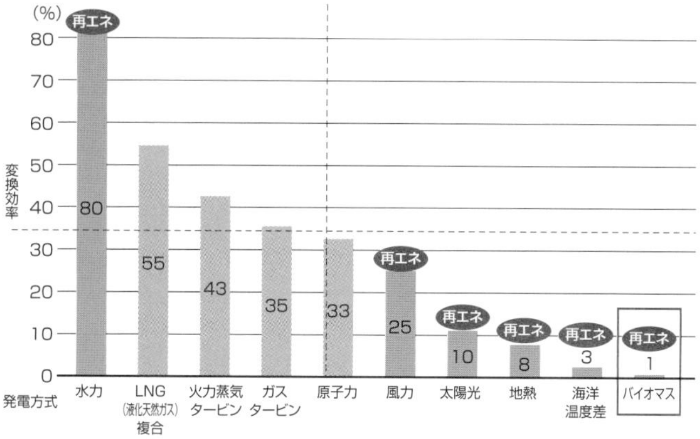

発電方式	変換効率(%)	
水力	80	再エネ
LNG（液化天然ガス）複合	55	
火力蒸気タービン	43	
ガスタービン	35	
原子力	33	
風力	25	再エネ
太陽光	10	再エネ
地熱	8	再エネ
海洋温度差	3	再エネ
バイオマス	1	再エネ

出典：関西電力、https://www.kepco.co.jp/energy_supply/energy/newenergy/water/shikumi/index.html

エネルギー変換効率が低い。

FIGURE 111 バイオマスエネルギーの利用がカーボンニュートラルとなる仕組み

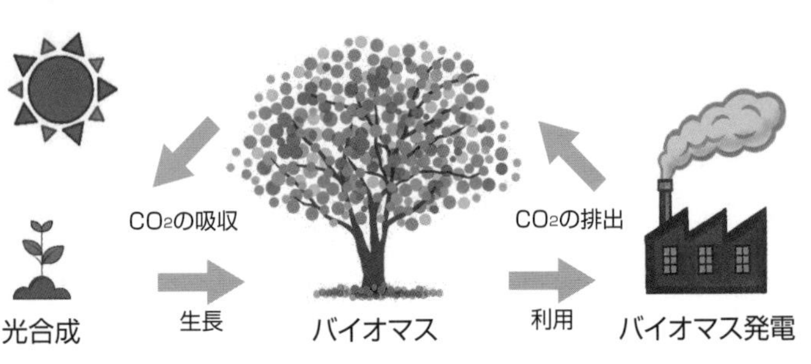

FIGURE 112 各電源の運転維持費と資本費

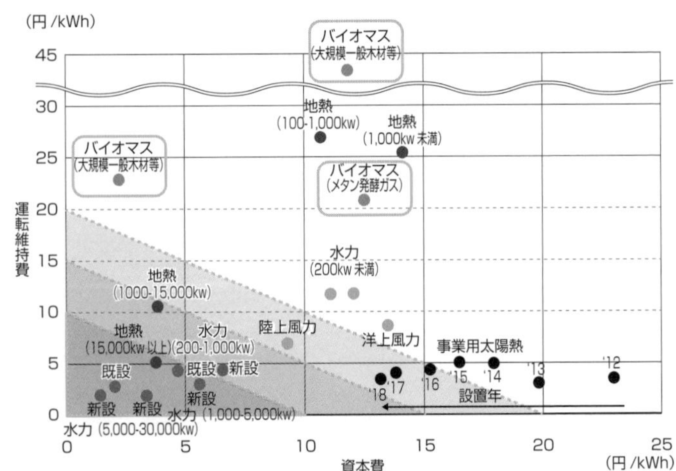

＊定期報告データによる実績値（資本費・運転維持費・設備利用率）。急速なコストダウンが見られる太陽光発電は運転開始年ごと、太陽光発電以外は全期間における平均値を採用した。
＊洋上風力発電・地熱発電（15,000kW 以上）は定期報告データが少ない又は存在しないため、現行の調達価格の諸元を用いて計算した。
＊大規模一般木材等は 10,000kW 以上、小規模未利用材は 2,000kW 未満を指す。

出典：経済産業省、https://www.meti.go.jp/shingikai/energy_environment/biomass_hatsuden/pdf/001_02_00.pdf

バイオマスエネルギーを巡る世界の動向

農業大国では、バイオ燃料需要の高まりから、作物を食料用からエネルギー資源用へと転換する動きが出てきています。

1 日本

エネルギー供給構造高度化法に基づき、バイオエタノールをガソリンに混合させることで、バイオマスの利用を促進しています。一方、バイオエタノールの調達にあたっては、ほぼ全量をブラジル産のサトウキビに依存しているため、他の再生可能エネルギーとは異なり、安定供給の観点で難があります。

2 アメリカ

バイオエタノールの世界最大の生産国であるアメリカでは、**包括エネルギー政策法**の中で**再生可能燃料基準**を定めており、その中でバイオ燃料の化石燃料への最低混合比率を定めています。バイデン政権では、2022年よりエタノールを15%混合したガソリン(E15)の販売を解禁しており、バイオマスの導入を推進しています。

3 中国

世界最大のバイオマス発電量を誇る中国では、近年、国家レベルでバイオマス資源の育成・開発技術への投資を推し進めています。また、自国での余剰トウモロコシを活用したバイオエタノールの生産に取り組んでいます。

4 EU

EUでは、菜種を利用したバイオディーゼルの普及を推進しています。EU各国が、ガソリンやディーゼル、ジェット燃料へのバイオ燃料混合割合の目標を制定し、取り組みを進めています。

FIGURE 113 各国のバイオマス発電設備容量（2020年）

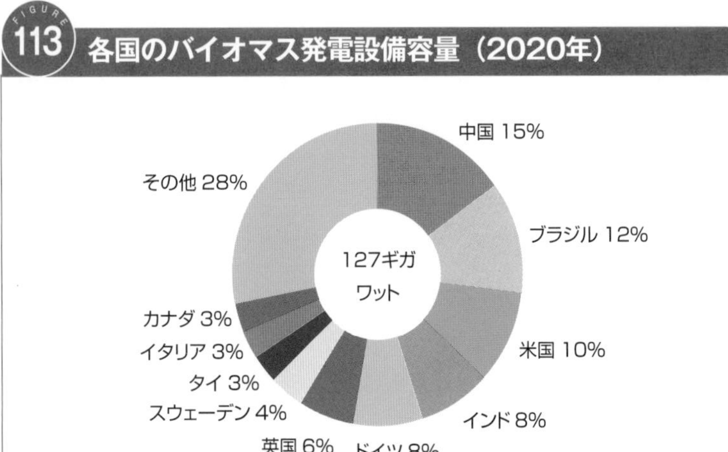

出典：https://www.yomiuri.co.jp/choken/kijironko/ckeconomy/20210802-OYT8T50082/

FIGURE 114 各国のバイオ燃料自給率（2015年）

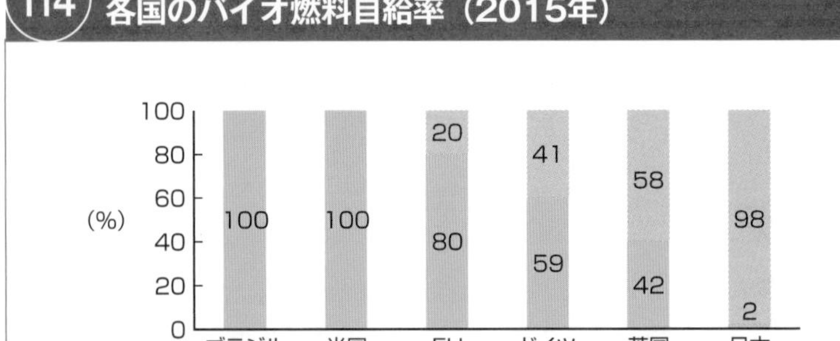

出典：https://www.meti.go.jp/shingikai/enecho/shigen_nenryo/pdf/023_05_00.pdf

Column

飛行機移動は恥？

「飛び恥」という言葉を知っていますか？「飛行機で移動するなんて恥ずかしい」という考え方であり、英語で「Flight Shame（フライト・シェイム）」と呼ばれます。

飛行機での移動は他の移動手段と比較してCO_2排出量が多く、環境負荷が大きいため、飛行機を利用した移動は避けるべきであるという考え方です。環境意識の高いヨーロッパで特に盛んな考え方で、「環境少女」として一躍有名になったグレタ·トゥーンベリさんも精力的に「飛び恥」の考え方を広めています。出身地であるスウェーデンから、国連気候サミットの開催されるニューヨークへ移動するため、飛行機ではなくヨットを利用して大西洋を横断したことも話題となりました。

ただし、人やモノの移動効率を考えると、飛行機の利用を停止することは難しいです。そこで開発が進められているのがSAF（Sustainable Aviation Fuel）と呼ばれる、環境に優しい燃料です。SAFはバイオエタノール、廃食油、廃食品、そしてミドリムシなどから作られるバイオマスエネルギーを利用した燃料です。主な原料であるバイオマスエネルギーは、生成過程においてCO_2を吸収するため、利用時に排出されるCO_2との相殺により、実質CO_2排出量がゼロとなる、環境に優しい燃料です。

ミドリムシを用いたバイオマスエネルギーの開発を進めるユーグレナは、既にミドリムシを用いたバイオジェット燃料を用いた旅客機の運航に成功しています。

SAFの普及により、環境に優しい飛行機移動ができるようになると、人の移動もモノの移動も効率的、かつ環境負荷を小さく抑えることができるため、飛ぶことは「恥」ではなくなります。SAFのさらなる発展に期待ですね。

MEMO

水素／アンモニアエネルギー

製造コストと管理体制が普及のカギか？

水素やアンモニアは、私たちにとっては身近な存在です。水素（H）は水（H_2O）の構成要素であり、地球を構成する元素としては、酸素（O）、ケイ素（Si）に次いで３番目に多い元素となります。また、アンモニアに関しても、私たちの身体から排泄物として排出される分子の代表です。

水素は全物質の中で最も軽いため、飛行船などに利用されることもありましたが、容易に引火して爆発する危険性があります。実際、1937年アメリカにて、飛行船の水素に引火した爆発事故である「ヒンデンブルク号爆発事故」が発生しています。こうした事情から、水素は主要なエネルギー源としては利用されてきませんでした。

しかしながら、カーボンニュートラルや安全保障の観点、そして技術の進展などの理由から水素、そしてアンモニアの利用が見直されています。水素やアンモニアの利用はまだまだ黎明期にありますが、導入拡大に向けて知識を身に着け、導入拡大に貢献していきましょう。

水素／アンモニアエネルギーの概要

新たなエネルギー源として、水素・アンモニアに注目が集まっています。製造方法によっては再生可能エネルギーとして扱われています。

1 水素

水素は、その製造方法により3種類に分かれます。水素そのものは燃やしても水しか排出しないクリーンなエネルギーですが、製造方法によっては CO_2を排出します。

●グレー水素

化石燃料由来の水素で、製造過程において CO_2を排出します。

●ブルー水素

グレー水素と同じく化石燃料由来の水素ですが、製造過程で排出される CO_2を CCS などの技術を用いて回収するため、実質の CO_2排出量はゼロとみなされます。

●グリーン水素

グリーン水素は、その色名が示唆する通り、クリーンな水素です。再生可能エネルギーを利用して製造されるため、CO_2を排出しません。

これらの水素は、燃料電池自動車（FCV）の燃料として、あるいは家庭で電気と熱を生成するエネファームなどで利用されています。

2 アンモニア

アンモニアは、水素から**ハーバーボッシュ法**を用いて製造されます。アンモニアも水素と同様に、燃焼してもCO_2を排出しません。

したがって、火力発電の燃料に混ぜ込み、石炭や天然ガスと共に混焼することで、火力発電に伴うCO_2排出量を削減することが期待されています。

FIGURE 115 水素の種類と作成方法

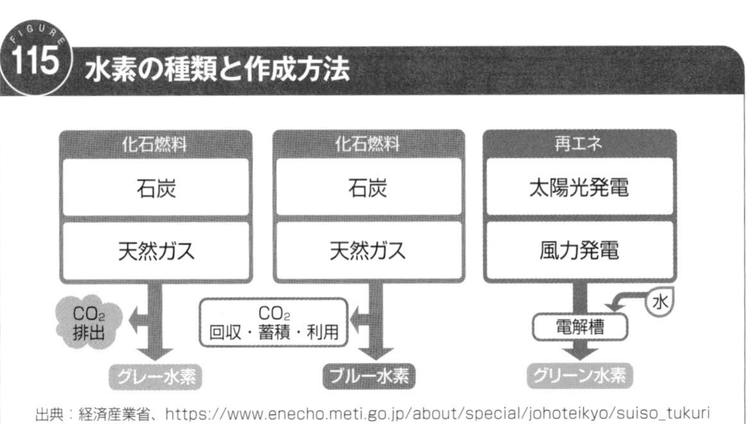

出典：経済産業省、https://www.enecho.meti.go.jp/about/special/johoteikyo/suiso_tukurikata.html

FIGURE 116 アンモニアの作成方法

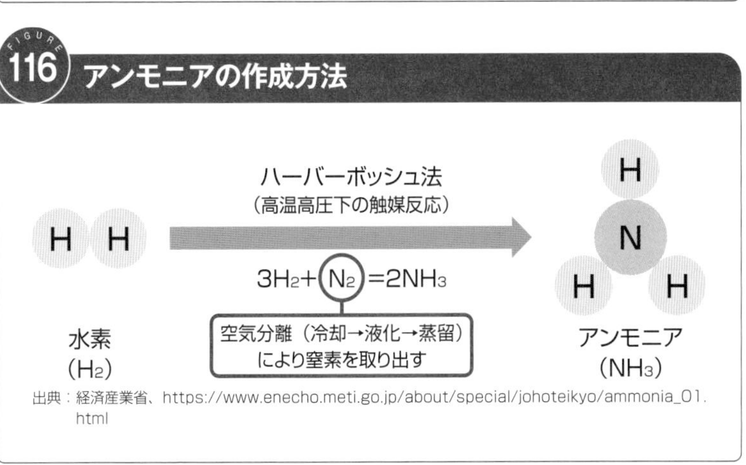

出典：経済産業省、https://www.enecho.meti.go.jp/about/special/johoteikyo/ammonia_01.html

導入状況・導入ポテンシャル

水素・アンモニアの利用は、世界を見てもまだまだ黎明期にあります。現在の状況を把握していきましょう。

1 水素／アンモニアエネルギーの導入状況

現状、水素・アンモニアエネルギーの導入は限定的です。特に水素に関しては、生産・輸送・貯蔵技術が確立されておらず、世界で技術開発が進められています。アンモニアに関しては、20世紀初頭に**ハーバーボッシュ法**が開発されて以降、生産・輸送・貯蔵の技術が蓄積されています。現状は、農業用の化学肥料への利用が主ですが、今後は自動車や火力発電の燃料としての利用が期待されています。

2 水素／アンモニアエネルギーの導入ポテンシャル

まだまだ発展途上の水素・アンモニアエネルギーの利用に関しては、大きなポテンシャルがあると言えるでしょう。国際エネルギー機関（IEA）の予測によると、2070年までに、2019年と比較して7倍の水素が生産されるとされています。水素の生産・輸送・貯蔵技術が確立されると、水素エネルギーの導入が大きく前進すると考えられます。また、化学肥料に必要不可欠なアンモニアは、世界で広く生産されています。製造手段としてのハーバーボッシュ法だけでなく、輸送・貯蔵技術も既に確立しているため、水素からアンモニアへ変換し、アンモニアの状態で輸送・貯蔵するなどの手段も検討されています。

日本政府は、民間と共同で**燃料アンモニア導入官民協議会**を立ち上げ、官民一体となってアンモニア導入を推進しています。

FIGURE 117 水素生産量の推移

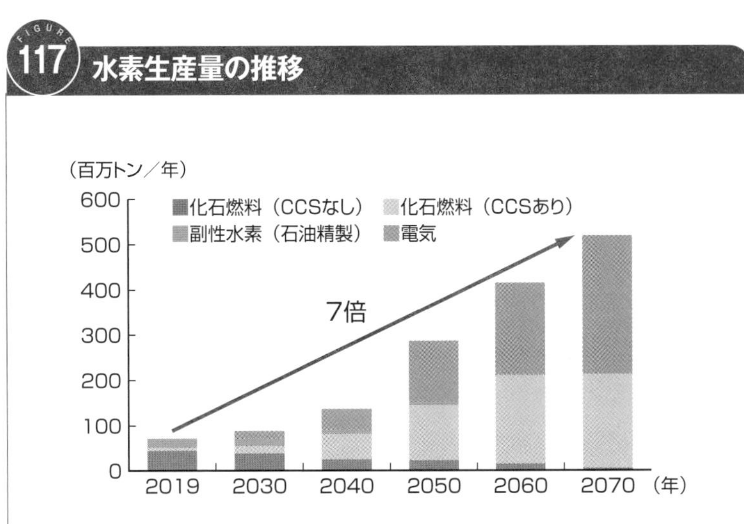

出典：経済産業省、https://www.env.go.jp/seisaku/list/ondanka_saisei/lowcarbon-h2-sc/events/PDF/shiryou06.pdf

FIGURE 118 水素エネルギーの活用イメージ

従来	現在	未来
・製鉄所 ・石油精製・石油化学 ・アンモニア製造 ・液体水素ロケット	・家庭用燃料電池（エネファーム） ・燃料電池自動車 ・燃料電池バス ・燃料電池船	・水素発電 ・水素タンカー ・燃料電池鉄道 ・燃料電池航空機

出典：環境省、https://www.env.go.jp/seisaku/list/ondanka_saisei/lowcarbon-h2-sc/about-hydrogen/index.html

水素／アンモニアエネルギー利用のメリット

新たなエネルギー源として、水素・アンモニアの利用に注目が集まっているのには、水素・アンモニア利用に様々なメリットがあるためです。

1 電気を貯蔵し電池として活用

私たちのエネルギー利用は、多くの場合は電気としての利用です。その電気を、水素に変換して貯蔵することができます。具体的には、夜間などで電力需要が小さくなる時間帯に、余剰となる電力を用いて水を電気分解し、水素に変換することで、その水素を貯蔵します。一般に、Power to Gas（P2G）と呼ばれています。

蓄電池と比較してエネルギーの変換効率は高くないですが、蓄電池は長期間貯蔵すると、徐々に放電してしまいます。したがって、長期間の貯蔵には水素が有利であるとされています。また、水素はさらにアンモニアに変換して貯蔵することも可能です。エネルギー自給率の高くない日本にとって、水素やアンモニアの状態でエネルギーを貯えることは、安全保障の観点でも重要となります。

2 クリーンなエネルギー

水素やアンモニアは燃焼時にCO_2を排出しません。製造時に化石燃料を用いる場合もありますが、CCUなどのCO_2回収・利用技術を用いたカーボンニュートラルな水素製造が推進されています。また、そもそも再生可能エネルギーを利用して製造する**グリーン水素**のさらなる導入拡大が期待されています。

FIGURE 119 水素による電力貯蔵の仕組み

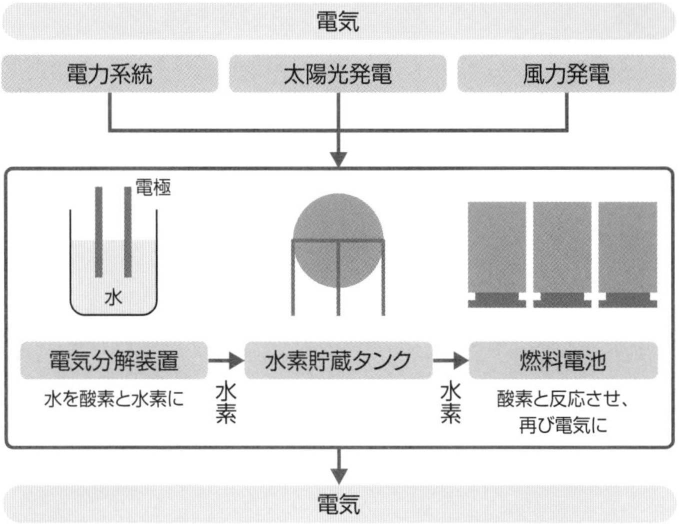

電気
電力系統
太陽光発電
風力発電
電極
水
電気分解装置
水を酸素と水素に
水素
水素貯蔵タンク
水素
燃料電池
酸素と反応させ、再び電気に
電気

出典：日本経済新聞、https://www.nikkei.com/article/DGKKZO81990780W5A110C1TJ2000/

FIGURE 120 水素と酸素の反応により水が生成されるイメージ

水素
H H
H H
O O
酸素
O
H H
O
H H
水

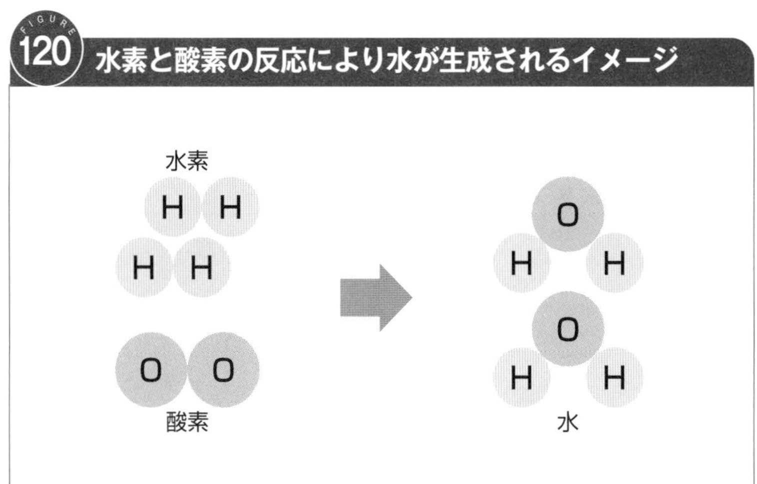

水素／アンモニアエネルギー利用の問題と課題

新たなエネルギー源としての期待が高まっている水素・アンモニアですが、今後の導入拡大のためには解決すべき課題もあります。現状を見ていきましょう。

1 サプライチェーンの整備

水素そのものには害はありませんが、一定の濃度を超えると容易に引火し、爆発します。したがって、製造だけでなく、貯蔵や輸送の際にも慎重な管理が必要となります。また、水素は金属を腐食させるため、貯蔵・輸送の際に水素専用の設備を必要とします。現状、こうした水素供給にあたるインフラ整備は十分ではなく、サプライチェーンの整備が急務となっています。一方、アンモニアは強い刺激臭を持つ気体で、水素と同様に腐食作用も持ちます。したがって、アンモニアに関しても丁重な管理が必要となります。ただし、アンモニアは既に主に化学肥料のため、既にサプライチェーンおよび管理技術が確立されており、既存のインフラ・技術を活用することで初期投資を小さく抑えることが期待できます。

2 製造コスト

水素やアンモニアの製造コストは、他エネルギーと比較すると、高いのが現状です。化石燃料を由来とし、それをCCSなどの技術でカーボンニュートラル化する、あるいは再生可能エネルギーにより発電した電気を利用して水素に変換する必要があるため、製造にかかるコストが大きくなってしまいます。

水素のサプライチェーン

つくる	
再生可能エネルギー活用水電解	風力、太陽光、電気 ➡ 水電解
副性ガス精製	鉄鋼、苛性ソーダ　石油化学におけるエチレン製造
改質生成	バイオガス、廃プラスチック、石油化学製品由来等

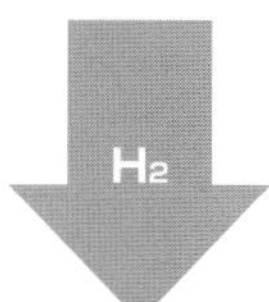

ためる、はこぶ	
圧縮水素	カードル、圧縮水素トレーラー
配管輸送	パイプライン
液化水素	液化水素ローリー
水素吸蔵合金	水素吸蔵合金、配送トラック

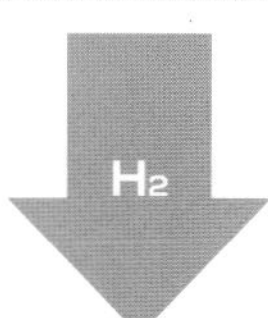

つかう	
運輸	燃料電池自動車（FCV）、燃料電池フォークリフト（FCFL）
家庭・産業利活用	燃料電池（家庭用・業務用）
水素発電	水素発電（混燃・専燃）

出典：環境省 https://www.env.go.jp/seisaku/list/ondanka_saisei/lowcarbon-h2-sc/demonstration-business/ を元に弊社で作成。

また、前述の通り、水素の製造・貯蔵・運搬のためのサプライチェーンを整えるための投資も必要となります。

日本政府は、**水素・燃料電池ロードマップ**を制定するとともに、環境省主導で脱炭素な地域水素サプライチェーン構築事業を推進しています。

FIGURE 122 水素の製造コスト比較（キロ当たり）

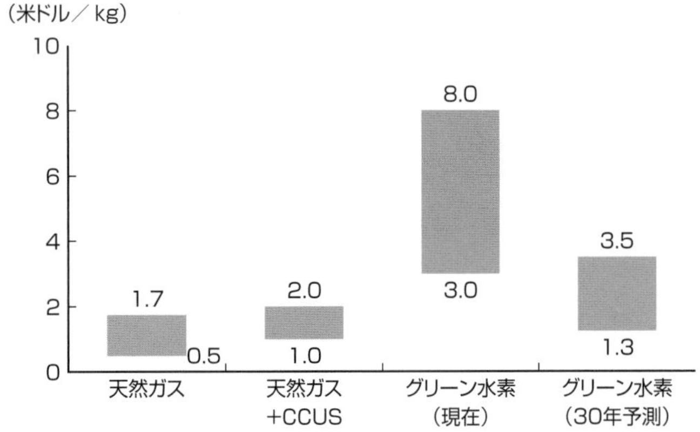

（米ドル／kg）

	下限	上限
天然ガス	0.5	1.7
天然ガス+CCUS	1.0	2.0
グリーン水素（現在）	3.0	8.0
グリーン水素（30年予測）	1.3	3.5

出典：三井住友 DS アセットマネジメント、https：//www.smd-am.co.jp/market/daily/keyword/2022/01/key220127gl/

出典 IE のデータを基に三井住友 DS アセットマネジメント作成

水素／アンモニアエネルギーを巡る世界の動向

先進国を中心に、新たなエネルギー源として水素・アンモニアエネルギーの導入を拡大しようとしています。

1 日本

2021年の**第6次エネルギー基本計画**の策定を受け、水素およびアンモニアによる発電が国の定める電源構成に含まれるようになりました。日本政府は、水素・アンモニアによる発電を2030年までに全体の1％まで拡大するとの目標を制定しています。また、経済産業省は**2050年カーボンニュートラルに伴うグリーン成長戦略**において水素を14の重点技術分野の1つに指定しており、2010年～2019年の水素関連技術の特許出願件数に関する指標では、日本が世界トップに位置づけられています。

2 アメリカ

アメリカでは、10年以内にクリーン水素の製造コストを1kgあたり1ドルまで低減する目標を立てています。2021年に可決された**超党派によるインフラ法**により、クリーン水素の製造・流通への多額の支援を行うと共に、インフレ抑制法により、生産および投資に対して税額控除を行うことで、水素エネルギー導入拡大を推進しています。

3 中国

水素生産量で世界トップに位置づける中国では、**エネルギー法**にて水素をエネルギーとして定義すると共に、**水素エネルギー産業発展中長期規画**や**グリーン水素認証制度**の制定を通じ、水素エネルギーのさらなる拡大を目指しています。

4 EU

ロシアへの化石燃料依存からの脱却を目指すEUでは、各国が水素戦略を公表しています。例えばドイツの**国家水素戦略**では、水素分野に90億ユーロの投資を行うとしています。

FIGURE 123 国・地域別の水素消費量（2017年）

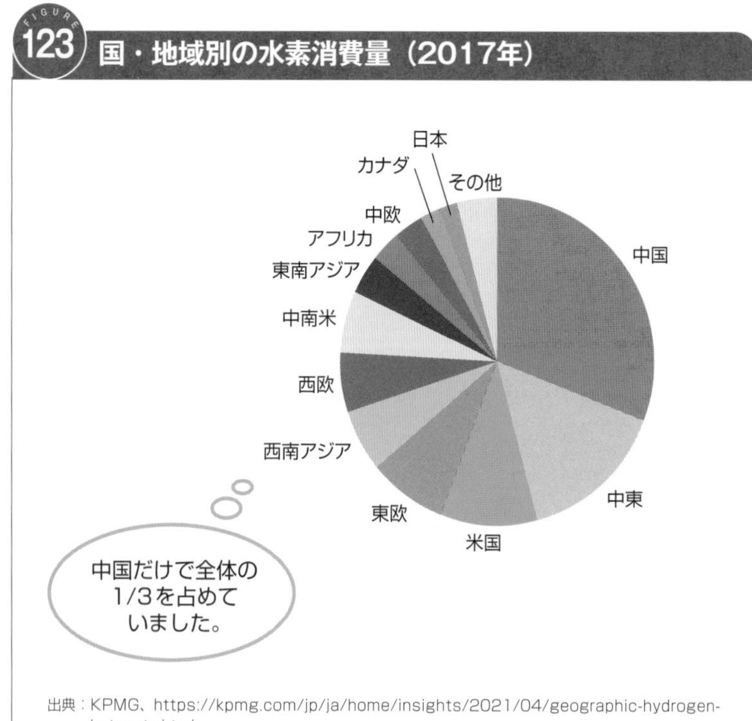

出典：KPMG、https://kpmg.com/jp/ja/home/insights/2021/04/geographic-hydrogen-hotspots.html

世界の水素関連技術の特許出願指数（2010-2019年累計）

順位	国名	トータルパテントアセット
1	日本	9,896,748
2	中国	4,979,043
3	アメリカ	3,619,123
4	韓国	3,609,686
5	ドイツ	1,539,817
6	フランス	1,027,030
7	イギリス	664,769
8	サウジアラビア	174,252
9	台湾	123,991
10	デンマーク	101,166

出典：BUSINESS INSIDER、https://www.businessinsider.jp/post-239338

日本、中国、韓国、台湾で、世界の7割近くを占めています。東アジアで覇権を握れるか注目です。

肉食は環境負荷が高い？

食の西洋化に伴い、日本でも日常的に肉を食べるようになりました。しかし、肉を食べることで、環境に多大な負荷がかかっていることをご存じでしょうか？

肉類を生産するために必要となるエネルギーは、同量の魚や野菜を生産するために必要となるエネルギーより各段に大きいのです。また、肉類の中でも、牛肉生産に必要となるエネルギーは大きく、鶏肉の約2.8倍、豚肉の約1.6倍のエネルギーが必要となります。

牛は草を消化する過程で大量のメタンを体内で生成し、げっぷやおならとして排出します。メタンの温室効果はCO_2の約28倍あるとされており、温暖化への影響は大きいです。また、近年の食肉需要の高まりにより、ブラジルのアマゾンで大量伐採が行われ、牛の牧畜が行われています。

こうした環境への負荷を鑑み、肉を食べない「ベジタリアン」や、動物由来のものを食べない「ビーガン」というライフスタイルが、欧米を中心に広がっています。魚介類は食べるが、肉は食べない「ペスカタリアン」というスタイルもあります。

また、基本的にはプラント・ベース（植物性食品中心）だが、たまに肉類も食べる「フレキシタリアン」という選択肢も出てきています。ビートルズのメンバーであるポール・マッカートニーが、月曜日は肉を食べない「ミート・フリー・マンデー」を提唱していますが、こちらもフレキシタリアンの生活スタイルの1種です。

環境に負荷を与えたくないが、肉を食べたいという需要に応え、人工肉や大豆ミート（ソイミート）を製造するアグリテック企業も出てきています。大豆ミートは、日本でもよく目にするようになりました。今後、人工肉や大豆ミートの味が本物の肉の味に近づき、大量生産されるようになると、動物を育て、その肉を食すというライフスタイルは過去の遺物になるかもしれません。

持続可能な社会に向けて

サステナブル社会で求められる行動は？

私たちの生活は、現状維持では持続可能ではありません。資源は枯渇し、自然環境は破壊され、私たちの生活にも大きな影響をもたらします。経済成長第一の時代は終焉を迎え、未来の世代のニーズを損なうことのないような開発が求められています。

こうした社会情勢の下、持続可能な社会の実現に向け、新たな政策や技術、トレンドが生まれています。特にZ世代に代表される若い世代は、環境やサステナビリティに関する意識が高いと言われており、発信力も強いため、多くの環境トレンドの発生源となっています。

これからの時代は、単に規制を強めるだけでなく、新たな技術の開発や意識の変化を後押しし、持続可能な社会の実現に向けた変革を遂げることが求められているのです。

SDGs（持続可能な開発目標）

2015年9月、国連サミットにて「持続可能な開発目標（SDGs：Sustainable Development Goals）」が採択されました。近年ではメディアでも盛んに取り上げられています。

1 SDGsとは？

2030年までに持続可能な世界を目指すため、世界が取り組むべき17の目標と169のターゲットからなる国際目標です。「誰一人取り残さない（No one left behind）」社会の実現を目指すとしています。

SDGsは、2000年に採択された2015年までの国際目標である「ミレニアム開発目標（MDGs）」の後継目標です。先進国による途上国援助を主題としたMDGsとは異なり、先進国と途上国が一体となり、経済・社会・環境課題に取り組む目標とされています。

2 SDGsとエネルギー

エネルギー関連の目標もSDGsに含まれています。「7：エネルギーをみんなに そしてクリーンに」はまさにエネルギーに特化した目標であり、すべての人の普遍的なエネルギーアクセス、エネルギーミックスにおける再エネ比率の増加、エネルギー効率の向上などが具体的なターゲットとして定められています。

日本は、現代的エネルギーへの普遍的なアクセスという観点では問題ありませんが、エネルギーミックスにおける再エネ比率の拡大や、エネルギー効率、そして環境負荷の小さいエネルギーの導入といった観点では、まだまだ改善の余地があります。

SDGs 目標7：「エネルギーをみんなに そしてクリーンに」のターゲット

#	ターゲット
7.1	2030年までに、安価かつ信頼できる現代的エネルギーサービスへの普遍的アクセスを確保する。
7.2	2030年までに、世界のエネルギーミックスにおける再生可能エネルギーの割合を大幅に拡大させる。
7.3	2030年までに、世界全体のエネルギー効率の改善率を倍増させる。
7.A	2030年までに、再生可能エネルギー、エネルギー効率及び先進的かつ環境負荷の低い化石燃料技術などのクリーンエネルギーの研究及び技術へのアクセスを促進するための国際協力を強化し、エネルギー関連インフラとクリーンエネルギー技術への投資を促進する。
7.b	2030年までに、各々の支援プログラムに沿って開発途上国、特に後発開発途上国及び小島嶼開発途上国、内陸開発途上国のすべての人々に現代的で持続可能なエネルギーサービスを供給できるよう、インフラ拡大と技術向上を行う。

出典：国連広報センター、https://www.mofa.go.jp/mofaj/gaiko/oda/sdgs/statistics/goal7.html

ESG投資

近年、財務諸表に現れない観点も含めて投資判断をするべきであるというのがトレンドとなっています。

1 ESG投資

ESGとは、「環境：Environment」「社会：Social」「ガバナンス：Governance」の頭文字を取ったものです。この3つの観点での企業分析を通じて投資判断を行うことを**ESG投資**と言います。

従来の投資判断は、主に財務諸表を通じて得られる数字、つまり企業の売上や利益を基に実施してきました。しかし、環境問題や社会問題を度外視した利益至上主義は持続可能ではなく、利益至上主義の会社に投資する投資家もまた、環境問題や社会問題に寄与していることとなります。

そこで国連は2006年に**責任投資原則**（**PRI**：Principles for Responsible Investment)」を定め、投資家に対し社会的責任を求めました。これが、ESG投資のはじまりです。

2 新たな投資判断基準として注目

長期的観点で考えると企業の安定的な成長は「ESG」の観点が大きく関わると言われています。つまり、利益至上主義でも短期的に大きく成長するかもしれないが、長期的な観点ではESGの観点を取り入れないと頭打ちになる可能性があるということです。

そこで、投資家はESGの観点で大きく貢献している企業を評価し、投資するようになりました。つまり、ESGの観点での取り組みを推進している企業に投資をすると、株価が上昇し、結果として利益も得られる仕組みとなっています。結果として、利益を求める投資家もESG投資を開始し、ESG関連銘柄に資金が流入しました。同時に、投資資金の欲しい企業も、ESGへの取り組みを加速させるという好循環が生まれています。

FIGURE 126 ESGの具体例

Environment
・CO_2排出量削減
・再生可能エネルギー導入
・生物多様性の保護
・森林保護

Social
・人種問題への対応
・ダイバーシティ促進
・適正な労働環境
・児童労働の防止

Governance
・コンプライアンス遵守
・透明性のある事業
・贈収賄や汚職防止
・企業倫理の遵守

FIGURE 127 代表的なESG指標

指標	概要
MSCIジャパンESGセレクト・リーダーズ指数	アメリカのMSCIが選定するESG指標。各業種ごとにESG評価の高い企業が選定される。
FTSE Blossom Japan Index	イギリスのFTSE社が選定するESG指標。ESGの絶対評価が高い銘柄がスクリーニングされ、選定される。
Dow Jones Sustainability World Index (DJSI)	アメリカのダウ・ジョーンズ社が選定する、世界的に有名なESG指標。世界中のサステナブルな企業が選定される。

サステナブル経営／GX（グリーン・トランスフォーメーション）

ESGに配慮しない企業は、もはや、サステナブルではありません。

1 CSRとCSV

従来、各企業は**企業の社会的責任**（**CSR**＊）の観点で、様々な活動を行ってきました。しかし、CSRは本業とは関係なく植林をしたり、途上国に学校を建設したりする企業が多い状態でした。そこで、本業を通じて社会貢献を行うべき**共通価値の創造**（**CSV**＊）という考え方が生まれました。

2 サステナブル経営

ESGの観点で持続可能な状態を実現する経営を、**サステナブル経営**と呼びます。CSRやCSV、そしてESGの概念を包括し、「環境」「社会」「経済」そして「事業」すべてが持続可能である状態を維持するべきであるとされています。サステナブル経営が実現されると、環境や社会に貢献できるだけでなく、投資資金を呼び込むこともできるというメリットがあります。

3 GX（グリーン・トランスフォーメーション）

現在、日本政府は国策とし**GX**（**グリーン・トランスフォーメーション**）を進めています。GXとは、カーボンニュートラル実現のため

＊**CSR**　Corporate Social Responsibilityの略。
＊**CSV**　Creating Shared Valueの略。

クリーンなエネルギーの利用を推進するよう経済社会や技術を変革させることを指します。

岸田総理を議長とする「GX実行会議」が設けられ、「GX実現に向けた基本方針」としてまとめると共に、産官学のGX実践に取り組む場として**GXリーグ**を設立するとしています。再エネの主電源化や原発の利用、サステナブルファイナンスの推進を通じ、政府主導でGXを実現する想定です。

FIGURE 128 GXリーグのイメージ

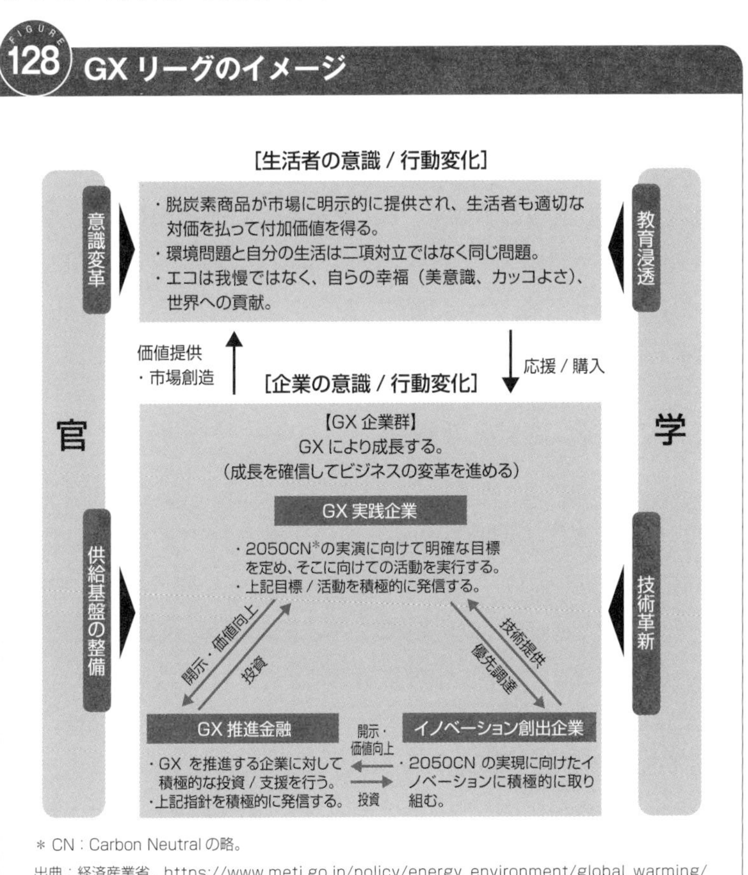

＊ CN：Carbon Neutralの略。

出典：経済産業省、https://www.meti.go.jp/policy/energy_environment/global_warming/GX-league/gxleague_concept.pdf

電気自動車（EV）

近年では、街中でもEVをよく見かけるようになりました。

1 電気自動車（EV）とは

従来の自動車は化石燃料であるガソリンを利用して走りますが、EVは、蓄電池（バッテリー）に電気を蓄え、その電気でモーターを回して走ります。したがって、走行時にはCO_2を排出しないクリーンな自動車とされています。部門別のCO_2排出量では、運輸部門が全体の17.7%を占めており、EV化によるCO_2排出量削減が期待されています。ただし、バッテリーに充電する際、発電方法によってはCO_2を排出するため、発電方法そのものもクリーンエネルギーに転換していかなければなりません。

2 EV推進に向けた政策

日本のEV導入は、他先進国と比較すると遅れています。日本政府は、2035年に新車販売で電動車の比率を100%にする計画を打ち立て、そのための充電インフラの整備やEV購入補助、およびバッテリー産業の確立などの政策の下、EV普及を推進しています。また、GXに向けてもEV化が必須であるとされています。

3 ESG投資の対象に

EV関連企業は、ESG投資において注目の的となっています。EVは環境に優しいだけでなく、各国の国策としてEV導入が推進されているため、今後も継続的な需要増加が期待されています。こうした事情から、投資家の資金が流入しており、例えばイーロン・マスク率いるアメリカのEVメーカー**テスラ**は株価が急騰しました。

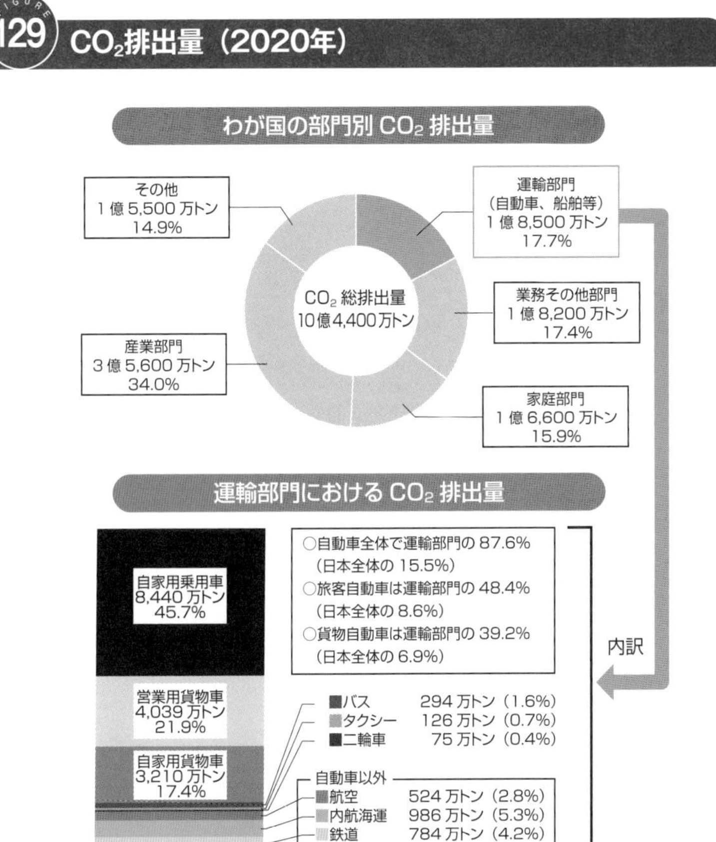

注：1）端数処理の関係上、合計の数値が一致しない場合がある。
2）電気事業者の発電に伴う排出量、熱供給事業者の熱発生に伴う排出量はそれぞれの消費量に応じて最終需要部門に配分。
3）温室効果ガスインベントリオフィス「日本の温室効果ガス排出量データ（1990～2020年度）確報値」より国交省環境政策課作成。
4）二輪車は2015年度確報値までは「業務その他部門」に含まれていたが2016年確報値から独立項目として運輸部門に算定。

出典：環境省、https://www.enecho.meti.go.jp/about/special/johoteikyo/xev_2022now.html

新たな再生可能エネルギー

新たな再生可能エネルギーも研究開発が進められ、導入拡大が期待されています。

1 波力・潮力（潮汐）エネルギー

海における波や潮の満ち引きのエネルギーを利用して電気を生み出す方法を**波力発電**、あるいは**潮力発電**と呼びます。波力発電は刻々と打ち寄せては返される波の上下運動を、潮力発電では潮の満ち引きによる水の動きを利用します。地球表面の約7割は海洋であり、枯渇もしないことから、導入拡大が期待されています。フランスや韓国では実用的に利用されています。

2 海流エネルギー

海流による水の流れるエネルギーを利用した発電方法です。地球の自転や偏西風、気温･水温の差、そして地形により、海流は一定方向に流れています。その流れを利用してタービンを回し発電します。現在は実証実験段階ですが、日本近海の海流を利用した海流発電の開発が期待されています。

3 雪氷熱エネルギー

冬の間に積もった雪や、冷気を利用して凍らせた氷を保管し、暖かい時期の冷気として利用する方法を**雪氷熱利用**と呼びます。冬季の日本海側は、世界でも有数の豪雪地帯であり、厄介者として扱われることもあった雪の活用が期待されています。

4 温度差熱発電

河川や地下水、下水、海水などの水源を熱源としたエネルギーです。水の持つ、空気と比較して温まりやすく冷めにくい性質を活用し、ヒートポンプを通じて利用する方法です。東京のオフィス街などでも実用化されています。

FIGURE 130 海洋エネルギーの利用方法

波力発電	波により発電機が上下することで発電
潮流発電	潮の満ち引きによる流れを利用し発電機を回転させる
海洋温度差発電	①温かい表層水でアンモニアなどを蒸気にして発電 ②冷たい深層水でアンモニアなどを冷やし循環
海流発電	重りをつけて海中に発電機を漂わせ、黒潮などの海流でタービンを回す

FIGURE 131 雪氷熱利用のイメージ

Column

ESG投資の始め方

ESG投資に興味があり始めてみたいけれど、やり方がわからないという方もいるかと思います。始め方はごく簡単で、スマホでも始められるので、ぜひ以下のステップで実践してみてください。実際に投資を始めると、時事問題やエネルギー政策、そして環境問題に対するアンテナが強まり、自発的に情報を収集できるようになると思います。

●ステップ1：証券口座の開設

まずは、投資を行うための証券口座を開設しましょう。大手の証券口座であれば、見た目や多少の手数料の違いはあれど、大きくは変わりません。楽天証券やSBI証券など、いくつかHPを覗いてみて、気に入った証券会社の口座を開いてみましょう。

●ステップ2：ESG銘柄を選定する

証券口座の開設が完了し、投資の準備ができたら、ESG銘柄を探してみましょう。一番簡単なのは、各金融機関が運用する投資信託（投信）で、ESGや環境をテーマにしたものを選ぶことです。金融機関のプロが銘柄を選定し、独自に運用してくれるので、初心者でも簡単にESG投資に挑戦できます。

個別の株式でESG投資を行いたい場合は、各企業のHPを確認しESGの観点で評価を行ってみたり、ESGやサステナビリティ関連の銘柄として、評価機関に選定されている銘柄を選定するとよいでしょう。

●ステップ3：実際に投資を行う

銘柄を選定したら、実際に投資をしてみましょう。投資経験が浅い場合は、まずは小額からはじめ、徐々に投資金額を大きくしていくと良いでしょう。ESGは長期的な目線で評価を行うものなので、短期の損益にとらわれず、ESG投資も長い目で考えて行いましょう。

おわりに

本書執筆中の2023年6月現在、依然としてロシアのウクライナ侵攻が続いています。ロシアに対する経済制裁により、ロシア産化石燃料の供給量が減少し、冬場の電力価格高騰につながりました。

こうした形で一般消費者にまで国際エネルギー情勢の影響が出てくるとなると、消費者にとってもエネルギー政策の教養は欠かせません。私たちの考えや行動が政策に反映され、その政策が私たちの生活の基盤を形作るためです。

エネルギー安定供給の面だけでなく、カーボンニュートラルに向けた再生可能エネルギー導入拡大や原発再稼働などの動きも出てきており、ますます「環境」と「エネルギー」の重要性は増しています。

AIの台頭も目立つ現代において、私たちは正しい知識·教養を身に着け、それを基に自分の頭で考え、実践につなげることが大切です。ぜひ本書を読んだだけで終わらず、具体的な政策や時事問題を時に批判的な観点でチェックし、考え、友人や家族との議論やSNSへの投稿、そして投票など、何かしらの実践につなげてみてください。

本書がそうした実践活動の礎となり、回りまわってみなさまの生活をより良いものとできたならば幸いです。

2023年6月　関　貴大

索引

●た行

●な行

●は行

●ま行

●や行

●ら行

●数字

●アルファベット

●著者紹介

関 貴大（せき・たかひろ）

早稲田大学 創造理工学部 環境資源工学科卒業、早稲田大学 創造理工学研究科 地球・環境資源理工学専攻修了。大学院在学時に、環境先進国・スイスへの留学を経験。イギリスでの半年間のファームステイを経て、日本IBMに入社。現在はSCM戦略やサステナビリティ関連のコンサルティングに従事。環境・サステナビリティ分野、およびIT分野を得意とする。

ご連絡は以下Twitterまで
@takahiro_sek1

図解ポケット
環境とエネルギー政策がよくわかる本

発行日 2023年 7月 7日 第1版第1刷

著 者 関 貴大

発行者 斉藤 和邦
発行所 株式会社 秀和システム
〒135-0016
東京都江東区東陽2-4-2 新宮ビル2F
Tel 03-6264-3105（販売） Fax 03-6264-3094
印刷所 三松堂印刷株式会社

ISBN978-4-7980-7004-9 C0036